PREFACIO
JOSH McDOWELL

SOY LÍDER DE JÓVENES

y ahora...
¿Quién podrá ayudarme?

UNA GUÍA PARA LOS PRIMEROS AÑOS
DE MINISTERIO CON LOS JÓVENES

JEFFREY D. DE LEÓN

EDITORIAL
UNILIT

Publicado por
Editorial Unilit
Miami, Fl. 33172
Derechos reservados

Primera edición 2002

©2001 por Jeffrey D. De León
Todos los derechos reservados.

Producto 495167
ISBN 0-7899-0910-3
Impreso en Colombia
Printed in Colombia

Jeffrey D. De León es uno de los líderes de ministerios juveniles más respetados en el mundo de habla hispana. Su increíble habilidad para comunicar y su pasión por los jóvenes y sus líderes se puede percibir a través de estas páginas. *Soy líder de jóvenes, y ahora... ¿quién podrá ayudarme?* es uno de los libros más importantes para el ministerio juvenil, escrito por un latino para el mundo latino.

JIM BURNS, PH.D.
PRESIDENTE THE YOUTH BUILDERS USA.

Este libro contiene muchos consejos útiles para nuestros ministerios juveniles. La pasión de mi amigo Jeffrey D. De León por ver ministros de jóvenes que alcancen a la juventud con sabiduría se puede notar en cada página de este libro, con seguridad contagiará con ella a todo el que lo lea.

DR. LUCAS LEYS
(DIRECTOR EJECUTIVO DE ESPECIALIDADES JUVENILES,
AUTOR DE DIVERSOS LIBROS Y FUNDADOR DE LIDERAZGO Y
ADOLESCENCIA, GRUPO DE AMIGOS)

¡Qué batazo! Este libro es uno de los manuales para líderes juveniles que suple una necesidad muy obvia en nuestra cultura hispana. "Bienvenido a la gran aventura", su primer capítulo, lo dice todo. Para muchos el ministerio juvenil es aburrido y monótono, pero cuando lees este manual te das cuenta de que el ministerio puede ser una gran aventura. Si pones en práctica los principios que aparecen en este libro tu aventura será amena y fácil de llevar a cabo, no imposible y agotadora. El libro, escrito originalmente en español, está dirigido a nuestra cultura hispana. Sin duda, ayudará a cientos de miles de líderes que tienen muchas preguntas sobre cómo dirigir su ministerio. Es importante reconocer que el Dr. Jeffrey D. De León conoce no solo el corazón del ministerio juvenil sino también el corazón del verdadero líder de jóvenes. Nos lo ha demostrado con su vasta experiencia sobre el tema. Esto es muy importante porque se escribe mucho sobre este asunto pero no se vive. Dios está haciendo cosas nuevas cada día, este libro te expone lo que Dios anhela ver dentro de cada ministerio juvenil en estos tiempos.

VÍCTOR J. CÁRDENAS
FUNDADOR DE OTRA ONDA / YOUTH WAVE Y
VOZ LÍDER DEL GRUPO DE ROCK LATINO ZONA 7.

Contenido

DEDICATORIA

ESTE LIBRO ESTÁ DEDICADO A TODOS
LOS LÍDERES JUVENILES.

A TODA PERSONA QUE AMA A LOS JÓVENES
Y
DESEA VERLOS TOMAR BUENAS DECISIONES.

PREFACIO

*H*an pasado algunos años desde que invité a un joven estudiante, en proceso de terminar su doctorado, a que me acompañara en mi gira a través de Latinoamérica. Fue un gran placer para mí trabajar con este hombre piadoso, íntegro y perspicaz. Hoy día, la vida y el ministerio del doctor Jeffrey D. De León continúa impresionándome. Su pasión por Dios lo motiva a cumplir cabalmente con el ministerio que Él le ha dado, alcanzar a los jóvenes para Cristo y preparar a sus padres y líderes para que así el mundo pueda conocerle a Él.

En los muchos años que he trabajado con jóvenes, padres y líderes juveniles, he hallado que el desarrollo de líderes capacitados es el aspecto clave de nuestro compromiso para alcanzar a la gente joven. En los países de habla hispana el campo del ministerio juvenil está creciendo. Según crece la población juvenil esta necesidad cada día es mayor. ¿Quién alcanzará a estos jóvenes? ¿Cómo se les puede dar una dirección cultural apropiada? ¿Qué principios prácticos de alcance y discipulado bíblico se pueden utilizar eficazmente en esta cultura cambiante y económicamente retadora que nuestros jóvenes y líderes enfrentan?

Esta y muchas otras preguntas las trata Jeffrey en su práctico y poderoso libro "Soy líder de jóvenes y, ahora... ¿quién podrá ayudarme?" Jeffrey expone los retos en Latinoamérica con una perspicacia que solo puede provenir de un latino. No obstante, su experiencia en los Estados Unidos hace que su instrucción sea igualmente poderosa para los ministerios hispanos en Norteamérica.

Me emociona ver la próxima generación de líderes que se levantarán para dirigir a los líderes de jóvenes en los próximos años. También me estimula la experiencia del doctor Jeffrey De León con los padres y los líderes. Sinceramente creo que este libro será una gran herramienta para cualquier persona que desea ser eficaz con los jóvenes.

Con amor,
Josh McDowell

CAPÍTULO UNO

BIENVENIDO A LA GRAN AVENTURA

Solo tenía dieciséis años cuando Dios empezó a obrar en mi vida para hacerme invertir las energías en el ministerio juvenil. En mi corazón palpitaba fuertemente una carga por la juventud de todo el mundo. Podía ver mucho potencial en ellos y creía que ese potencial podía utilizarse para cumplir con los planes de Dios. La primera iglesia en la que tuve el privilegio de trabajar como líder de jóvenes fue la iglesia en donde crecí. Esto, por supuesto, tiene sus inconvenientes. Siempre habrá personas que tendrán a la juventud en poco. Por esa misma razón Pablo le escribe a Timoteo y en el capítulo 4, versículo 12 de 1 Timoteo le dice: *Ninguno tenga en poco tu juventud, sino sé ejemplo.* Nunca pensé que ser ejemplo en todo sería fácil. Así que a pesar de los inconvenientes me involucré en la gran aventura de ser líder de los jóvenes. Años después, el día de mi ordenación como pastor, una señora muy querida que me vio crecer se me acercó para felicitarme y me dijo: «Aunque solo seas el pastorcito juvenil, te doy un abrazo.» Para la mayoría de mi congregación yo siempre sería *solo el pastorcito juvenil.* Sin embargo, Dios quería usar a alguien como yo para ministrarles a los jóvenes de mi iglesia. Dios quiere usarte para alcanzar a los jóvenes de tu iglesia, comunidad, ciudad, país y ¿por qué no? … ¡DEL MUNDO!

En este punto quisiera hacer un paréntesis y mencionar uno de los mitos más destructivos que existe en las iglesias actuales. El mito dice que los jóvenes trabajan mejor con los jóvenes y que los

HOY MÁS QUE NUNCA LOS JÓVENES ESTÁN BUSCANDO MODELOS ADULTOS QUE ACTÚEN COMO MODELOS ADULTOS.

adultos trabajan mejor con los adultos. Esto, definitivamente, es incorrecto. Hoy más que nunca los jóvenes están buscando modelos adultos que actúen como modelos adultos. Los jóvenes no necesitan adultos que actúen como jóvenes.

Recuerdo una ocasión en que se originó un conflicto en la institución donde yo estudiaba. Los alumnos de este lugar tenían que usar un uniforme que consistía en un pantalón gris, una camisa blanca y un saco azul. Todos teníamos la obligación de llevar dicho uniforme. Sin embargo, no sucedía así con uno de los chicos que estaba en uno de los grados superiores. Ese chico siempre llegaba con pantalones cortos, calcetines de diferentes colores, el pelo pintado de colores y un arete en la oreja izquierda. Los administradores de esta institución trataron por todos los medios de persuadir a este chico para que se pusiera el uniforme. Después de probar las diferentes formas de persuasión que conocían, decidieron llamar a los padres del muchacho para hablar con ellos. El padre se apareció a la entrevista con pantalones cortos, calcetines de diferentes colores, el pelo pintado de colores y un arete en la oreja izquierda. Imitó al hijo para tratar de ayudarlo y lo que hizo fue alejarlo más y más. Me pregunto cuántas de las cosas que hacemos en las iglesias realmente alejan a nuestros jóvenes en lugar de acercarlos a nosotros y a Dios. Los chicos no necesitan jóvenes que actúen como jóvenes, ni tampoco adultos que actúen como jóvenes, lo que necesitan son personas que brinden un modelo y los amen incondicionalmente. No estoy diciendo que si tú eres joven no debes trabajar con jóvenes. Lo que quiero decir es que durante muchos años se ha dicho en América Latina que los jóvenes deben estar con los jóvenes y los adultos con los adultos. Se nos ha hecho creer que los adultos no deben involucrarse en la vida de los jóvenes. No hay duda de que los jóvenes necesitan su espacio, pero es irrefutable que ellos necesitan modelos adultos a quienes imitar. Los jóvenes necesitan ver diferentes clases de modelos que los inspiren y guíen en las decisiones de la vida.

Es importante mencionar que la mayoría de las iglesias en América Latina no son mega iglesias. Además, la mayoría de los líderes juveniles tampoco tenemos una buena preparación para trabajar en los ministerios juveniles.

Este libro se propone llegar a todos aquellos líderes de jóvenes que se sienten un poco abrumados con la gran responsabilidad de dirigir el grupo de jóvenes en una congregación posiblemente pequeña o no muy pequeña. Consideremos el hecho de que la mayoría no dedicamos cuarenta horas a la semana a este ministerio de la iglesia. Conozco muy pocas iglesias en la América Latina que tengan pastores de jóvenes bien remunerados trabajando a tiempo completo. La mayoría de las personas, como tú y yo, hemos servido o servimos en una iglesia de la cual no recibimos remuneración alguna. Hacemos lo que hacemos porque amamos a nuestro Dios y a los jóvenes. Entendemos que la realidad de muchos de estos líderes no es una realidad fácil, ni les sobra mucho tiempo libre.

Por lo tanto, iniciemos con esta pregunta: ¿En dónde comienza la aventura? Realmente, desde antes que nacieras. El Salmo 139 dice que nuestro Dios nos conoce muy bien, ya que nos formó en el vientre de nuestra madre. ¡Qué emocionante es saber que Dios nos creó a ti y a mí a Su imagen y semejanza! (Génesis 1:26.) Esto quiere decir que tú tienes un increíble valor y dignidad como resultado de ser humano. Dios te entregó y te confió el privilegio de servirle en el ministerio con los jóvenes. Pero... ¿cómo saber si realmente tengo el llamado para trabajar con ellos o fueron las circunstancias que me llevaron a este punto? Más importante aun, ¿cómo puedo saber cuál es mi llamado?

Tomemos las cosas con calma y empecemos poco a poco. ¿Cuál es el llamado para tu vida? Para contestar esta pregunta

SEGUIR A JESÚS ES TU ÚNICO LLAMADO, NO EL MINISTERIO CON LOS JÓVENES. ...NO EXISTE NINGÚN OTRO LLAMADO.

tenemos que ir al Mar de Galilea y escuchar el llamado de Jesús a sus futuros discípulos, Simón y su hermano Andrés. *Andando junto al mar de Galilea, vio a Simón y a Andrés su hermano, que echaban la red en el mar; porque eran pescadores. Y les dijo Jesús: Venid en pos de mí y haré que seáis pescadores de hombres. Y dejando luego sus redes le siguieron* (Según Marcos 1, decían: «Dios te ha llamado, a ti y a mí, a pescar hombres.» ¿Cuántas veces escuchaste la explicación de este pasaje haciendo énfasis en «pescar»? Créeme, no tengo nada en contra de la pesca, pero la realidad es que Jesús no los llamó a pescar hombres. Jesús los llamó a seguirle. De acuerdo con este versículo mi llamado y tu llamado es *ir en pos de Jesús.* Seguir a Jesús es tu único llamado, no el ministerio con los jóvenes. De hecho, no existe ningún otro llamado. *Ir en pos de Jesús* es el llamado que todos los cristianos tenemos. ¿Acaso no es ese el significado de la palabra cristiano (seguidor de Cristo)? Tu meta final en la vida es conocer a Dios y entonces, como resultado, puedes pescar (o darlo a conocer). En otras palabras, lo que quiero explicarte es que el llamado en tu vida es este: Conocer a Dios a través de una relación personal con Él y darlo a conocer a través de un estilo de vida santo. No estaríamos muy lejos de la realidad al decir que si no tengo una relación personal con Dios, no puedo ir a pescar hombres. Esto se expresa muy claramente en el pasaje que Jesús les dijo a los futuros discípulos: «Venid en pos de mí...» en otras palabras, les dijo *Síganme.* Lo interesante es que continúa diciendo que es Él quien los *hará* pescadores de hombres. Esto quiere decir que Dios capacitará a todo aquel que llama. Dios tomó la responsabilidad de proveer todo lo necesario si lo seguimos. El pasaje no termina allí. Más adelante vemos que los discípulos dejaron sus redes e inmediatamente le siguieron. Marcos 1:18: *Y dejando luego sus redes, le siguieron.*

Esta parte del pasaje también me parece interesante debido a que más adelante, después de la crucifixión y la resurrección, Jesús los encontró pescando.

Después de esto, [refiriéndose a lo que aconteció *con Tomás] Jesús se manifestó otra vez a sus discípulos junto al mar de Tiberias; y se manifestó de esta manera: Estaban juntos Simón Pedro, Tomás llamado el Dídimo, Natanael el de Caná de Galilea, los hijos de Zebedeo, y otros dos de sus discípulos. Simón Pedro les dijo: Voy a pescar. Ellos le dijeron: Vamos nosotros también contigo. Fueron, y entraron en una barca; y aquella noche no pescaron nada.*

Juan 21:1-3

Tú y yo tenemos que entender que no es malo pescar, ni es malo trabajar en algún lugar fuera de la iglesia; siempre y cuando sepamos que nuestro llamado es seguir a Jesús. El asunto es que cuando se les demandó esto, ellos estuvieron dispuestos a dejar todo lo que pudiera estorbar en el proceso de seguir a Jesús. Y a ti, ¿qué te estorba? ¿Cómo piensas dejar eso que te estorba? Es muy importante aclarar que no siempre lo que nos estorba es malo. En muchas ocasiones lo que nos estorba a la hora de seguir a Jesús son cosas sencillas o normales para nosotros. Lógicamente, yo no sé cuáles serán esas cosas que te estorban en tu vida. Pero sí sé con certeza que tanto tú como yo debemos estar dispuestos a dejar todo lo que tengamos que dejar con tal de cumplir con nuestro llamado para seguir a Jesús. Seguirlo inmediatamente. Sin perder tiempo. En ese mismo pasaje en Juan 21 vemos que Jesús no se enojó con ellos porque estaban pescando. Por el contrario, bendijo su pesca. Lo que Jesús quería era *revelarse* a ellos. Jesús deseaba sentarse a comer con ellos. Jesús tenía el gran deseo de invertir tiempo con ellos. Es muy interesante que todo esto sucede en el contexto de una pesca, de un trabajo. Es muy fácil para nosotros distraernos en la obra de Dios, en lugar de invertir en el Dios de la obra. ¡Son tantos los que trabajan y

EL VERDADERO RETO RADICA EN EL VALOR QUE TÚ MISMO CONSIDERES QUE TIENE EL TRABAJO CON LOS JÓVENES.

trabajan en la obra, pero no conocen al Dios de la obra! Ojalá que siempre recordemos que nuestro llamado no es para ir a pescar, sino conocer al encargado de hacernos pescadores de hombres. Dios sabe cuándo, Dios sabe cómo, Dios sabe a quién. Si realmente creemos que nuestro llamado es seguir a Jesús, entonces la pregunta que tenemos que hacernos es ¿cómo sé si puedo vivir mi llamado para conocer a Dios y darlo a conocer en el ministerio con los jóvenes? Reconozcamos que, por alguna razón, Dios desea usarnos para ayudar a la juventud. Sin duda alguna Dios tiene propósitos emocionantes para ti en el ministerio con los jóvenes. Pero la pregunta sigue siendo si debo involucrarme con los jóvenes o no. Ya aclaramos que nuestro llamado no es precisamente el ministerio, si no el Dios del ministerio. Así que quisiera que pensáramos en tres principios que nos ayudarán a contestar la pregunta, ¿debo o no trabajar con los jóvenes? Toda persona que esté considerando o que ya esté involucrada en el ministerio con los jóvenes debe entender tres cosas básicas:

1. El sentido de **importancia.**

En otras palabras, entiendes la importancia de hacer una inversión en la vida de los jóvenes. ¿Estás seguro, en tu mente y corazón, de que vale la pena servir en el ministerio con los jóvenes? ¿Entiendes bien que es muy importante ayudar a los jóvenes? ¿Te importan realmente los jóvenes? Todos podríamos decir cosas acerca del trabajo con los chicos. Sin embargo, el verdadero reto radica en el valor que tú mismo consideres que tiene el trabajo con los jóvenes. La guerrilla entiende la importancia que tiene la inversión en la vida de los jóvenes. Anualmente adiestra a miles de chicos y chicas en sus filas. Toda secta, grupo religioso, movimiento filosófico, toda buena empresa publicitaria entiende muy bien la importancia de alcanzar a los jóvenes con sus productos, filosofías e ideas. ¿Entiende la iglesia la importancia de invertir en los jóvenes? ¿Entiendes tú la importancia de invertir tu vida en el trabajo con los jóvenes? Si respondes a estas preguntas positivamente, tal vez esto implique que Dios ha puesto esta carga en tu mente y corazón. La importancia de trabajar con los jóvenes también la motiva el saber que Dios los usó a través de la historia para cumplir con sus propósitos. Dios ha usado jóvenes en el pasado, los está usando en el presente y los seguirá utilizando en el futuro. Los jóvenes no son el futuro. Los jóvenes son el YA, los chicos y las chicas son el HOY. El mañana no es lo que nos debe mover, sino el paquete completo de saber que ayer, hoy y mañana Dios seguirá usando jóvenes para cumplir con sus propósitos. El mundo no se mueve sin los jóvenes.

La historia nos cuenta el caso de unos jóvenes que se llevaron cautivos a otra cultura que no era la de ellos. Les cambiaron los nombres y constantemente retaron sus convicciones. Este grupo de cuatro muchachos hizo un impacto tan grande en el imperio en el que sirvieron que incluso hoy encontramos su historia en la Palabra de Dios, en el libro de Daniel. Esta no es la única historia en que la Biblia nos demuestra cómo Dios utiliza a los jóvenes.

Permíteme destacar la importancia de esto con una idea más: Los jóvenes de hoy enfrentan problemas que ni siquiera los adultos deberían enfrentar. Ser joven hoy es muy diferente a ser joven cuando yo lo fui; es un papel tremendamente difícil. En más de una ocasión he dicho que no quisiera volver a los años de mi juventud. No creo que exista una situación más difícil que la de enfrentarse con los problemas, las presiones y las filosofías que los jóvenes enfrentan hoy. Es importante invertir en la vida de los jóvenes, porque ellos necesitan ayuda desesperadamente.

2. El sentido de **incapacidad**.

Tú entiendes que no es por tus propias habilidades, dones y talentos que esto se puede hacer. ¿Te sientes incapaz
de llevar a cabo el ministerio juvenil? Excelente. Ninguno
que se sienta capaz en sí mismo debe hacerlo porque tarde o
temprano fracasará. ¿Eres de los que se preguntan, como se
preguntó Moisés, «quieres usar a quién»? Reconoce que el
asunto no es que puedas o no, sino que Dios quiere que lo
hagas. Tú crees que Dios te puede usar en el ministerio juvenil. En otras palabras, en el ministerio juvenil efectivo no
hay lugar para aquellas personas que dependen de su carácter humorístico ni de su creatividad ni de sus dones y talentos. En el ministerio juvenil efectivo solamente existe lugar
para personas sencillas como tú y como yo que reconocemos
que pueden llegar a suceder grandes cosas aunque seamos
incapaces de cambiar la vida de alguien. Seríamos incapaces
de realizar algo con éxito y con implicaciones eternas si no
fuera porque Dios decide usarnos a pesar de nuestras debilidades e incapacidades. ¡Qué emocionante es saber que si yo
no puedo, Dios sí puede! ¡Qué emocionante es saber que
Dios desea usar personas sencillas, personas sin grandes habilidades, personas que dependan de él! Nadie dice que sea
malo tener recursos económicos para alcanzar a los jóvenes,
nadie dice que sea malo tener dones y talentos para alcanzar
a los jóvenes, nadie dice que sea malo ser cómico o tener una
personalidad atractiva. Pero lo que sí debemos tener muy
en claro es que no debemos depender de ninguna de estas
cosas. Nuestra única dependencia debe provenir de Dios.

3. El sentido de **convicción**.

No tengas la menor duda de que van a suceder grandes cosas. ¿Crees que los jóvenes pueden lograr grandes cosas para el
Reino de Dios? En otras palabras, te hace falta soñar que verás
vidas de jóvenes transformadas por el poder de Dios. Si crees

que Dios quiere hacer grandes cosas con la vida de los jóvenes de tu iglesia, bienvenido a la aventura de tu vida.

La otra noche, hablando con mi amada y bella esposa, nos hacíamos la pregunta de siempre: ¿Por qué nos escogió Dios para servir entre los jóvenes? La respuesta es muy sencilla. Dios es soberano y la regla es que Dios quiere usar personas como tú y yo para servirle. No se requiere ser un comediante o un gran deportista para servir y amar a los jóvenes. Lo que se requiere es estar dispuesto y disponible. Aparentemente estas palabras sugieren la misma idea. Podemos estar dispuestos, pero no invertir nada de tiempo en el ministerio. Por otro lado están los que invierten tiempo en el ministerio, pero no están dispuestos a innovar, cambiar, renovar y ni siquiera evaluar lo que se hizo hasta ahora para ver cómo se puede mejorar. Es por eso que en el ministerio juvenil se requiere estar dispuesto y disponible.

La realidad es que hasta que no me involucré en el ministerio juvenil, no supe que Dios me quería usar en este ministerio. Recuerda que la voluntad de Dios no se conoce, sino que se comprueba (Romanos 12:1, 2); vale la pena invertir unas cuantas líneas de este libro para aclarar esta cita. Todos responderíamos positivamente ante la pregunta: ¿Quién desea saber la voluntad de Dios para su vida? Pero, cómo responderíamos ante la pregunta: ¿Quiénes desean *hacer* la voluntad de Dios? En muchas ocasiones la respuesta es: «Gracias Señor… yo solo tenía curiosidad.» En Romanos capítulo 12, versículos 1 y 2, encontramos por lo menos tres principios básicos que nos ayudan a entender cómo encontrarnos en el centro de la voluntad de Dios. Dice:

Así que, hermanos, os ruego por las misericordias de Dios, que presentéis vuestros cuerpos en sacrificio vivo, santo, agradable a Dios, que es vuestro culto racional. No os conforméis a este siglo, sino transformaos por medio de la

renovación de vuestro entendimiento, para que comprobéis
cuál sea la buena voluntad de Dios, agradable y perfecta.

Es muy importante notar que el versículo no dice para que se-
páis cuál sea la buena voluntad de Dios. El versículo claramente
dice: «para que comprobéis cuál sea la buena voluntad de Dios».
Esto quiere decir que en coherencia con el resto de la Palabra de
Dios, la voluntad de Dios se comprueba, se experimenta. Dios
desea que yo viva cierta clase de vida que me llevará al centro de
Su voluntad. Entonces sabré lo que deseaba saber al principio del
camino. Pero, ¿cuáles son los principios que Pablo desea que co-
nozcamos?

El versículo uno comienza con un ruego de parte de Pablo con
respecto a las misericordias de Dios. Sin duda, estas misericordias
deben ser parte fundamental de nuestra vida. Mantener una con-
ciencia diaria de las misericordias de Dios sobre nuestras vidas
hará que podamos mantenernos en la perspectiva correcta de la
vida. ¿Cuándo fue la última vez que enumeraste las misericordias
de Dios para tu vida diaria? Sin mencionar la vida, el sol, el aire,
el agua y tantas otras cosas que Dios ha escogido darnos por Su
gracia y Su misericordia. ¡Oh Dios, ayúdanos a no olvidarnos de
todas tus misericordias!

Pablo continúa dándonos el primer principio para nuestras vidas diarias. Nos pide que presentemos nuestros cuerpos en sacrificio vivo, santo y agradable a Dios que es nuestro culto racional.
¿Cómo es posible presentar un sacrificio vivo? ¿No se supone que
los sacrificios en el Antiguo Testamento eran ofrendas de anima-
les que morían al ser sacrificados? ¿Cómo podemos entonces presentar nuestros cuerpos en sacrificio vivo? Este principio es un
eco del que encontramos en Marcos 8:34.

Y llamando a la gente y a sus discípulos, les dijo: Si al-
guno quiere venir en pos de mí, niéguese a sí mismo, y
tome su cruz, y sígame.

En otras palabras, lo que Pablo nos está retando a hacer es morir a nuestros deseos, sueños, ilusiones y planes. Dios quiere de ti y de mí una entrega tal que no quede nada para mí. Tocante al tema de darle a Dios, mi padre siempre me ha dicho que lo importante no es cuánto le damos, sino cuánto nos queda a nosotros. Dios lo quiere todo porque lo merece todo. En Mateo 26:39 Jesús mismo nos dio el ejemplo al decirle al Padre: *Si es posible, pase de mí esta copa; pero no sea como yo quiero, sino como tú.* Jesús no quería morir. El pasaje dice que Jesús estaba angustiado porque sabía el sacrificio que haría por ti y por mí y, sin embargo, escogió hacer la voluntad de Dios. He aquí el principio claro e implacable. Tú y yo debemos de morir para que Cristo pueda vivir en nosotros y reinar en nuestras mentes y corazones. La forma de hacer esto es orar diariamente: «Entrego mi voluntad a Dios y permito que el Espíritu Santo me controle con su poder».

En Romanos 12:2 Pablo dice: *No os conforméis a este siglo.* Aquí la palabra conformar tiene que ver con no adoptar la forma del mundo, no amoldarme a las formas o moldes del mundo. Lógicamente es mucho más fácil adoptar las formas del mundo, sus costumbres y mundanalidades, que mantenernos en el centro de la tensión entre lo bueno y lo malo. Es más fácil moldearse a lo que la mayoría está haciendo, que ser diferentes. Pero lo que Dios desea de nosotros es LUZ, SAL, no conformismo. ¿Cómo nos hemos ido moldeando al mundo? ¿En qué áreas de nuestra vida no se ve ninguna diferencia entre los patrones del mundo y las verdades poderosas de Dios?

Nunca me gustó estudiar. Las matemáticas, en especial, me daban alergias. Aún hoy, con solo escribir la palabra, siento que me pica la piel. En una ocasión mi maestro de matemáticas llegó al aula y de tarea para el día siguiente nos pidió: «Para mañana quiero los capítulos 1, 2, 3, 4, 5, 6 y si les da tiempo terminen el 7.»

Inmediatamente pensé: *Este maestro de matemáticas no entiende que mi responsabilidad principal de niño es jugar.*

Sin dudar por un segundo formulé un plan para evitar que tuviéramos que hacer la tarea y que involucraría a toda mi clase. Convencí a todos mis amigos, es decir, a toda la clase, de que nadie hiciera la tarea basándome en el razonamiento de que el maestro no iba a reprobarnos a todos. ¡Increíble! Todos estuvieron de acuerdo. Esa noche me desvelé pensando en el momento de verle la cara a mi maestro para decirle que no había hecho la tarea. Al día siguiente entré a la escuela como todo un héroe. Mis amigos, y hasta incluso algunos de la clase que no me saludaban antes de que se me ocurriera un plan tan fabuloso, me saludaron con grandes honores. El maestro entró a la clase y comenzó a pasar lista:

—Andrés...

—Presente, profesor...

—¿Hiciste la tarea?

—No, profesor...

—María...

—Presente, profesor...

—¿Hiciste la tarea?

—No, profesor...

De León, De León, Jeffrey —pensaba yo... *ya me tocó...*

—Jeffrey...

—Presente, profesor... profesor... profesor (eco)...

—¿Hiciste la tarea... la tarea... la tarea? (eco)

—No profesor... profesor... profesor (eco)...

Pero de pronto el profesor cambió la pregunta...

—¿Por qué no?... ¿Por qué no?... ¿Por qué no? (eco).

Inmediatamente pensé: *Esta es la oportunidad que estaba esperando.* Me puse de pie, saludé a todos mis amigos y le dije al profesor:

—Porque nadie la hizo profesor... profesor... profesor (eco).

El profesor me tomó de la oreja y me paró al frente de toda la clase y dijo:

—Mal de muchos, consuelo de tontos.

«Todos lo están haciendo», «todos tienen novios no cristianos», «todos se meten en deuda», «todos ven pornografía», «todos mienten o roban»,...

«Mal de muchos, consuelo de tontos» decía mi profesor de matemáticas y Dios dice: «no os conforméis a este siglo, no hagan nada porque otros lo están haciendo».

Sean la luz, sean la sal de este mundo, sean diferentes, no se acomoden a los patrones de este mundo. Nunca hagas nada en tu vida, ni siquiera un ministerio, solamente porque otros lo están haciendo. Hazlo porque tienes la convicción de que está de acuerdo con Dios y Su verdad.

Recordemos el primer y segundo principio. Primero, digo «no» a mi voluntad y digo «sí» a la voluntad de Dios. Segundo, rehúso moldearme a la forma de este mundo. Ahora Pablo nos presenta una verdad increíble, en la segunda parte del versículo dos él nos dice que debemos ser transformados por medio de la renovación de nuestro entendimiento. Este pasaje es eco del Salmo 119:9: *¿Con qué limpiará el joven su camino? Con guardar tu palabra.* Y en el versículo 11 del mismo capítulo: *En mi corazón he guardado tus dichos, para no pecar contra ti.* La Palabra de Dios tiene el poder de darnos nuevos pensamientos, una nueva comprensión. El resultado de esta renovación será la transformación, una metamorfosis en nuestras vidas. La palabra transformaos es la palabra metamorfosis. De gusano a mariposa. ¡Qué palabra tan apropiada! Una vida de gusano se puede transformar en una vida de mariposa. Una vida arrastrada a una vida volando. Dios desea que nuestras vidas se caractericen por la transformación interna. Esta transformación solamente vendrá como resultado de la inversión de tiempo conociendo al Dios de la palabra a través de la palabra. No basta con solo conocer la palabra por conocer la palabra. Cualquier persona puede conocer la palabra de una forma trivial, como los fariseos. El reto es conocer al Dios de la palabra a través de Su palabra. Lo que va a suceder como resultado de este estilo de vida será que nos encontraremos en el centro de la

¿Qué quiere Dios de mí para mañana? Mi obediencia de hoy determina su guía para mi vida mañana.

voluntad de Dios. Comprobaremos cuál es Su buena voluntad, agradable y perfecta.

La mejor forma de averiguar qué quiere Dios de mí para mañana, es obedecerlo hoy. Mi obediencia de hoy determina su guía para mi vida mañana. ¿Recuerdas a Saúl? Él es el rey que en cierta ocasión buscó dirección de Dios y no encontró respuesta. ¿Por qué? Dios ya le había dicho a Saúl lo que debía hacer, pero él no obedeció. Después, cuando buscó una guía, no la obtuvo por ningún medio.

Conozco muchos cristianos que llegaron a desarrollar raíces en las bancas, esperando alguna revelación sobrenatural. Este hermanito llevaba años buscando una revelación de Dios hasta que perdió la habilidad de escuchar y pronto los familiares se vieron preparando su funeral. Nunca se involucró sino que simple y sencillamente se sentó a esperar... sin actuar. Tanto tú, como yo, debemos de tirarnos al agua si queremos aprender a nadar.

¿Entendemos que nuestro llamado en la vida no necesariamente es servir en un ministerio de jóvenes, sino conocer a Dios y darlo a conocer? Hemos contestado las preguntas necesarias para saber si podemos cumplir con este llamado para un ministerio juvenil. Además, le dimos una mirada a la voluntad de Dios. La pregunta que queda por hacernos es esta: ¿Cuál va a ser nuestra filosofía de ministerio? o ¿Por qué voy a hacer lo que pienso hacer con los jóvenes de mi iglesia?

El siguiente capítulo tiene la intención de ayudarte a desarrollar una filosofía de ministerio que te ayudará a ver con claridad el panorama total del ministerio juvenil y así impactar a otros a través de tu ministerio.

Capítulo dos

NÚMEROS VERSUS AÑOS

ecién iniciado el ministerio con los jóvenes de mi iglesia no tenía la menor idea de lo que necesitaba para tener un ministerio juvenil eficiente. La idea de tener muchos jóvenes me llamaba la atención, pero no sabía que eso no era lo más importante. ¿No te parece extraño que diga que los números no son lo más importante? Después de todo, esa es la pregunta que con más frecuencia se escucha cuando se reúnen los líderes de jóvenes. «¿Cuántos jóvenes tienes en tu grupo?» Y yo me pregunto, ¿qué tiene que ver el número de jóvenes en tu grupo juvenil con la calidad de ministerio de tu iglesia? ¿Acaso los números dicen si Dios está o no obrando en tu grupo de jóvenes? ¿Puede alguna iglesia tener un grupo de jóvenes muy grande y no cumplir con el propósito de Dios? Seguro. ¿Es posible tener un grupo de jóvenes pequeño y cumplir con el propósito de Dios? Seguro. Es importante aclarar que lo contrario también es posible. La realidad nos dice que existen grupos grandes de jóvenes que están cumpliendo con el propósito de Dios. También existen grupos pequeños de jóvenes que se estancaron y no están cumpliendo con el propósito de Dios. El caso es que los números no son tan importantes.

El grupo de hombres que Dios preparó para cambiar el mundo no tenía muchos miembros. Jesús invirtió Su vida en un grupo pequeño, doce, para ser exactos. Si Jesús no midió la eficiencia basándose en los números, ¿por qué debemos nosotros medir la eficiencia en nuestro ministerio con jóvenes basándonos en la cantidad de chicos que participan en el ministerio? Otra vez quiero aclarar que no todos los grupos de jóvenes grandes andan mal, ni tampoco quiero decir que todos los grupos pequeños andan bien.

Esto me recuerda la ocasión en que alguien creyó que yo era un buen jugador de fútbol, simple y sencillamente, por ser latino. No todos los latinos somos buenos jugadores de fútbol. Y no todos los grupos grandes de jóvenes agradan a Dios. Lo que menos deseamos hacer es generalizar y caer en conclusiones equivocadas acerca del papel que representan los números en tu ministerio con los jóvenes. Por esta razón, la pregunta que vamos hacer no es ¿cuántos jóvenes tengo en mi ministerio? Sino: *¿Dónde van a estar los jóvenes de mi ministerio de aquí a diez años?* ¿De qué me sirve tener un gran grupo de jóvenes si todo lo que estoy haciendo es entretenerlos? ¿De qué me sirve una gran cantidad de jóvenes en el grupo juvenil, si ninguno de ellos tiene convicciones en cuanto a servir a Dios por el resto de sus vidas?

Hace unos años me invitaron a predicarle a un grupo de más o menos 1500 jóvenes. En este grupo juvenil todo parecía dinámico y relevante hasta que tuve la oportunidad de platicar con el grupo de aproximadamente ochenta y cinco líderes. Este grupo representaba la calidad de los 1500 chicos. Pero qué sorpresa me llevé al escuchar las conversaciones que estos jóvenes líderes tenían y el nivel de madurez que mostraban. Mi hijo de seis años tiene convicciones más profundas que estos líderes juveniles. Lo que más me llamó la atención fue las conversaciones que tenían acerca de lo que varios de ellos habían hecho la noche anterior. Algunos me platicaron acerca de las mejores discotecas del área y otros comentaron el excelente ambiente del club nocturno en donde conocieron a muchachas muy bonitas. Esto me recordó las conversaciones que mis amigos de la escuela, no cristianos, tenían a la hora de comer. ¿Es posible tener un grupo grande de jóvenes y perder la razón de existir como un ministerio juvenil? ¿Es posible tener un grupo pequeño de jóvenes y perder el propósito principal de tener un ministerio con jóvenes? Si la respuesta a estas preguntas es sí, entonces debemos hacernos otras preguntas importantes como esta: ¿Cuál debe ser el propósito principal de nuestros ministerios juveniles? Si el propósito no es tener el grupo de jóvenes más grande de toda la ciudad y el propósito no es entretener a los jóvenes, entonces, ¿cuál debe ser el propósito principal del ministerio juvenil en nuestra iglesia?

Este capítulo se escribió teniendo presente estas preguntas. Pretendemos darte una guía general que te ayude a desarrollar tu propia filosofía de ministerio. ¿Qué quiero decir con «filosofía de ministerio?» Deseo que después de leer este capítulo entiendas mejor la razón o el por qué de tu ministerio con los jóvenes. Una buena filosofía para el ministerio sabe formular las preguntas correctas y también sabe contestarlas.

En cierta ocasión conversé con un líder de jóvenes que los demás líderes de la ciudad catalogaban como muy exitoso. Imagina por qué razón. Exacto, tenía el grupo de jóvenes más grande de la ciudad. Nuestra conversación sucedió inmediatamente después de una conferencia en la que hablé sobre la importancia de saber por qué hacemos lo que hacemos en nuestro ministerio con los jóvenes. ¿Me creerías si te digo que este líder no pudo contestar preguntas tan sencillas como por qué existe tu ministerio juvenil? ¿A quiénes está enfocado tu ministerio? ¿Qué deseas lograr a largo y a corto plazo en tu ministerio? ¿Cómo piensas lograrlo? ¿Qué papel representan Dios y el Espíritu Santo en todo tu ministerio? Voy a ser honesto contigo. Este líder solamente pudo contestar una pregunta y media, aunque sin mucha convicción. No creo que la razón por la que este líder no tuvo respuestas no fue que no las considerara importantes, sino que simplemente nunca se había puesto a pensar en ellas detenidamente.

Debes tener respuestas a preguntas como: ¿Por qué hacemos lo que hacemos en nuestro ministerio? O, ¿por qué existe el ministerio juvenil? Responder a estas preguntas puede darte una mejor dirección en tu ministerio con los jóvenes. Respuestas a la pregunta por qué haces lo que haces en tu ministerio juvenil no

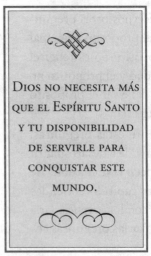

DIOS NO NECESITA MÁS QUE EL ESPÍRITU SANTO Y TU DISPONIBILIDAD DE SERVIRLE PARA CONQUISTAR ESTE MUNDO.

solo te dará dirección, sino que te ayudarán a poner en práctica las ideas teóricas con una buena filosofía de ministerio.

¿Tenía Jesús una filosofía de ministerio? En San Juan 4, Jesús les dice a sus discípulos: *Mi comida es que haga la voluntad del que me envió, y que acabe su obra.* Jesús tenía muy clara la respuesta de por qué vino a hacer lo que hizo. ¿Tienes tú una respuesta clara en tu mente y corazón a la pregunta «por qué haces lo que haces»?

Realmente espero que el contenido de este capítulo te ayude a contestar estas preguntas. Una vez más quiero mencionar que no vengo a ti como un experto, sino como alguien que desea ayudarte a lograr un mejor alcance de los jóvenes con el evangelio de Jesucristo. Sin duda alguna, Dios te ha dado una visión y quiero acompañarte y ayudarte a cumplirla. Te sugiero que le des un vistazo al contenido de este capítulo, piensa y desarrolla tu propia filosofía de ministerio guiado por el Espíritu Santo. Recuerda que no importa lo buena o elaborada que sea tu filosofía de ministerio. Si Dios desea usarte no será por tu gran filosofía de ministerio sino que será a pesar de ti y de nuestras filosofías de ministerio. Dios no necesita más que el Espíritu Santo y tu disponibilidad de servirle para conquistar este mundo. Pero no hay duda de que si Jesús tenía claro el porqué hacía lo que hacía, nosotros debemos seguir sus pasos.

Recuerdo la vez que conocí a un joven, de unos veinticuatro años de edad, en un puerto de yates cercano a una gasolinera. Aquel lugar estaba lleno de yates y veleros. Este muchacho estaba allí comprando comida y demás. Pronto inicié una conversación con él, ya que al parecer, era el único joven entre toda esta gente. Aquel muchacho era millonario y estaba disfrutando su dinero. Se había comprado un yate gigante y estaba comenzando su aventura. Había parado allí para comprar comida mientras que yo quería comprar gasolina. Pronto se me ocurrió preguntarle qué deseaba hacer con su vida. Sin pensarlo mucho me dijo: «Quiero darle la vuelta al mundo en mi yate.» Luego le pregunté qué haría después de darle la vuelta al mundo. «Le daré otra vuelta al mundo.» Me respondió con la misma pereza con la que me contestó la primera vez.

Solamente por molestar se me ocurrió volverle a preguntar que haría después de la segunda vuelta, a lo que me respondió lo mismo que tú ya estarás pensando. Me dijo: «Le daré otra vuelta al mundo.» ¿Qué te parece eso de desperdiciar una vida dando vueltas? Me parece que sería mejor caminar sin dar tantas vueltas, pero con un propósito.

En el resto de este capítulo trataremos de hacernos preguntas importantes como estas: ¿Por qué existimos? O, ¿por qué existe el ministerio juvenil en mi iglesia? Básicamente le daremos un vistazo al panorama general del ministerio juvenil.

Primera de Corintios 10:31 dice que todo lo que hagamos debemos hacerlo para la gloria de Dios. Dios desea ser glorificado porque solo Él es digno de toda gloria y honra. Toda iglesia y ministerio debe existir para glorificarlo a Él. ¿Conoces ministerios que dicen traer gloria a Dios y sin embargo solo se fundan alrededor del líder y es este líder el que se convierte en el centro de toda la atención? ¿Puedes imaginarte al rey David vendiendo su imagen y no necesariamente su música? ¿Existen hoy personas que dicen estar haciendo lo que hacen para la gloria de Dios cuando en realidad están construyendo sus propios reinos? Sin duda alguna, estas personas darán cuenta por no darle verdadera gloria a Dios. ¿Es posible que existan músicos y diversos ministerios cristianos honestos y sinceros que realmente ministran a la iglesia? Por supuesto que los hay. Si Dios te dio uno de estos ministerios y genuinamente sabes que todo lo que haces es para darle la gloria a Dios, te felicito y te animo a seguir adelante. Pero si tienes un ministerio y este ministerio se ha convertido en la plataforma que utilizas para brillar y ejercer tu poder y autoridad . . . ¡CUIDADO! A Dios no le agrada compartir la gloria que solamente le pertenece a Él, porque solo Él es digno.

En el proceso de contestarte la pregunta «por qué existe el ministerio juvenil en la iglesia», no debes olvidar que el ministerio juvenil tiene como parte fundamental de su existencia el servir a la iglesia en su misión general como iglesia. No puedes ir por un lado y la iglesia por el otro (lee el capítulo 3 para desarrollar relaciones saludables).

Recuerdo cierta ocasión en que escuché a un conferencista decir que el que le apunta a nada siempre le pega. Un día decidí salir a caminar en una de las ciudades de un país que visitaba por cuestiones de ministerio. Mi idea inicial fue salir a caminar sin rumbo y sin un lugar específico y pronto me di cuenta que estaba perdido. Afortunadamente tenía una tarjeta con el número de teléfono de las personas que me invitaron y pronto logré tomar un taxi que me regresó al lugar de donde salí originalmente. Hoy en día mis caminatas en las ciudades que visito no son caminatas sin fin o sin propósito. No es bueno perderse, no es bueno perder tiempo tratando de encontrar el camino. Como tampoco es bueno perder tiempo en un ministerio juvenil sin propósito. En otras palabras, no pierdas tiempo en un ministerio juvenil que existe porque siempre ha existido, o en un grupo juvenil que existe porque a alguien, alguna vez, se le ocurrió iniciar una reunión en la que se pudiera aburrir a los jóvenes con un culto y la tradición. Tiene que haber un por qué de lo que haces.

A continuación quisiera enseñarte un proceso que aprendí sirviendo en un ministerio juvenil muy exitoso. El éxito no vino como resultado del esfuerzo humano, pero sí por la gracia y la misericordia de Dios. El pastor de jóvenes de aquel grupo juvenil es ahora uno de mis mejores amigos, y tengo entendido que él aprendió este proceso de alguno de sus profesores en la universidad.

A este proceso le añadí otros elementos que creo son importantes en el ministerio juvenil. Permíteme presentarte el panorama general del ministerio juvenil a través de la ilustración de un tren.

Para aclarar las cosas diremos que el proceso inicia con los rieles sobre los cuales caminará nuestro tren. Estos rieles estarán categorizados por las letras A,B,C,D y E respectivamente (ver dibujo del tren en la página 47.)

Filosofía del ministerio
(Panorama general del ministerio juvenil)

LAS LETRAS (Ver diagrama 1 en la página 46)
La letra A. Contesta la Pregunta: ¿Por qué hago lo que hago?

En el dibujo, los rieles comienzan con la letra «A» porque sin el propósito final ninguna de las demás secciones funcionará. Para contestar la pregunta «¿por qué existimos?», debemos ir a 1 Corintios 10:31 como ya lo mencionamos y Efesios 4:11-13. En tu ministerio constantemente debes hacerte la pregunta «¿trae esto gloria a Dios y/o edifica a otros?»

Es en esta sección que evaluamos nuestra motivación y nuestras actitudes. No debo involucrarme en algo que realmente no tiene el fin principal de glorificar a Dios.

Doug Fields escribió un excelente libro titulado *Ministerio de los jóvenes con propósito* (Editorial Vida). En este libro Doug sugiere, basándose en el libro *La iglesia con propósito* que escribió su pastor Rick Warren, que todo ministerio juvenil tiene cinco propósitos principales.

Los pasajes que utilizamos son:

> Amarás al Señor tu Dios con todo tu corazón, con toda tu alma, con toda tu mente y con todas tus fuerzas.
>
> Marcos 12:30

> Por tanto, id, y haced discípulos a todas las naciones, bautizándolos en el nombre del Padre, y del Hijo, y del Espíritu Santo; enseñándoles que guarden todas las cosas que os he mandado; y he aquí yo estoy con vosotros todos los días, hasta el fin del mundo. Amén.
>
> Mateo 28:18-19

Doug Fields sugiere varios términos para identificar los propósitos del ministerio juvenil.

Términos más usados		Otros términos	
Evangelización	Misión	Exponer	Alcanzar
Comunión	Membresía	Edificar	Conectar
Discipulado	Madurez	Equipar	Crecer
Ministerio	Ministerio	Experimentar	Descubrir
Adoración	Magnificar	Exaltar, Honrar	Adorar

Estos términos nos dan la guía necesaria para definir el propósito que nos dará el enfoque para nuestro ministerio. Doug Fields nos sugiere que todo ministerio con propósito tendrá que incluir estos cinco propósitos en su misión.

- "Amarás al Señor tu Dios con . . ."
  A este propósito se le llama **OBEDIENCIA**.
- "Amarás a tu prójimo como a ti mismo . . ."
  A este propósito se le llama **PROTEGER Y PROVEER**.
- "Id y haced discípulos . . ."
  A este propósito se le llama **DISCIPULADO**
- "Bautizándolos en el nombre . . ."
  A este propósito se le llama **CONECTAR**
- "Enseñándoles que guarden . . ."
  A este propósito se le llama **EDIFICAR**

Por favor, no te confundas. Esto no es complicado, aunque lo parezca al considerar cómo aplicarlo a tu ministerio juvenil (ver dibujo del tren en la página 47).

Seguidamente observamos la letra «B». ¿Con quién y a quién ministramos? ¿Por qué será importante saber con quién y a quién ministramos? En la palabra vemos que personas como el apóstol Pablo tenían muy claro estos detalles de su ministerio. Romanos 11:13 dice: «Porque a vosotros hablo, gentiles. Por cuanto yo soy apóstol a los gentiles, honro mi ministerio». Contestar esta pregunta me ayuda a recordar algunas cosas:

- No ministro solo. Ministro con mis líderes, chicos, padres y otros voluntarios. Todos son seres humanos creados a la imagen y semejanza de Dios con dones, talentos y debilidades.

- Debo ser sensible a las necesidades del grupo de personas que trabajan conmigo y también a las necesidades del grupo de personas que deseo alcanzar. Chicos adolescentes, jóvenes, jóvenes adultos, etc . . .

¿Quiénes son las personas que están conmigo, quiénes deseo que estén conmigo y a quiénes deseamos alcanzar?

Es en esta etapa que vemos al Dios de amor y perfección. También vemos al hombre pecador y caído. Lo emocionante es ver cómo Dios y el hombre se unen. Porque gracias a Jesucristo y al Espíritu Santo, quien vino a morar en la vida de las personas, ahora tenemos el potencial de amar. Aunque todavía existan adversidades, la nueva naturaleza nos ayuda a dar gloria a Dios. En esta sección debemos reconocer el gran potencial que existe en los jóvenes cuando tienen a Jesucristo. Es por la obra de Dios en sus vidas que ahora ellos pueden brillar con la luz de Cristo en la oscuridad de sus escuelas, trabajos y hogares. No creemos que la edad sea un requisito ni un obstáculo para que Dios nos use. La Biblia está llena de ejemplos de jóvenes que Dios usó. Cualquier

No debes perder tiempo tratando de animar a los desanimados porque hasta los animados se van a desanimar.

chico o chica que tenga una relación personal con Jesús, tiene el potencial de cambiar el mundo.

Hoy en día existen cientos de ejemplos de chicos que le dieron a Dios la oportunidad de encontrarlos en su situación de pecadores y le permitieron que Él controlara sus vidas. Suceden cosas increíbles cuando el Salvador encuentra a un pecador. La vida de cualquier persona cambiará de acuerdo a la obra de Dios en esta persona. Ya sea un estudiante, un padre de familia o un desconocido, cada individuo necesita sentirse amado y recibido como un ser humano caído que es. Los seres humanos no somos perfectos y necesitamos llenar el vacío en nuestras vidas. En esta sección es importante saber a quiénes está dirigido nuestro ministerio. Piensa en algunas ideas generales. Básicamente son cinco grupos. (Ver Diagrama 2 para un panorama más general.)

1. Tu equipo de líderes. En nuestro ministerio necesitamos un equipo de personas que nos acompañen en la aventura de pastorear jóvenes. (Para obtener mayor información sobre cómo formar un equipo de líderes, te sugiero el libro *El ministerio juvenil dinámico* que publicó Editorial Unilit).

2. Los jóvenes cristianos. Los jóvenes que llegan a nuestro ministerio juvenil son quienes forman este grupo. Los comprometidos, no comprometidos e indecisos son parte de nuestro ministerio. (Es importante enfocarnos en los comprometidos aunque sean pocos. No debes perder tiempo tratando de animar a los desanimados porque hasta los animados se van a desanimar.) ¿Recuerdas el episodio de Jesús con el joven rico? Este joven vino a Jesús preguntándole qué debía hacer para entrar al reino de los

cielos. Jesús le contestó que vendiera todo lo que tenía y se lo diera a los pobres. El joven rico se alejó desanimado. Pregunta: ¿Qué hizo Jesús? ¿Corrió detrás del joven rico rogándole que le siguiera?... *Por favor, sígueme no seas malito, sígueme sí, vamos por favor, sígueme* . . . Jesús no tenía tiempo que perder. El joven rico no quería seguirlo y Jesús no tenía tiempo para rogarle que tomara la decisión correcta. Tal vez suene muy fuerte, pero tú y yo debemos concentrarnos en los jóvenes que desean crecer y seguir adelante. Los desanimados y perezosos seguirán a su tiempo. Mientras tanto tú y yo seguiremos corriendo la carrera que tenemos por delante, con paciencia y con aquellos que están dispuestos a correr.

3. LOS JÓVENES NO CRISTIANOS. ¿No son estos jóvenes una de las razones principales por la que estamos sobre esta tierra? Por supuesto que nuestro ministerio también debe ocuparse de alcanzar a los chicos que no conocen a Dios. Pero, ¿están nuestros ministerios alcanzando a estos chicos? Piensa por un momento cómo se sentiría un joven no cristiano al entrar a tu iglesia o a tu reunión juvenil.

4. LOS PADRES DE TODOS LOS JÓVENES. No hay duda alguna ni en mi mente ni en mi corazón de que todo ministerio juvenil eficiente es además un ministerio con padres de familia. Muchos líderes se quejan conmigo porque los padres de sus chicos no los apoyan en nada de lo que planean. En algunas ocasiones los padres tienen razón. ¿Le confiarías tus jóvenes a alguien que no conoces? El ministerio juvenil eficiente es un ministerio que ministra a los padres también (lee el siguiente capítulo.)

5. LA POBLACIÓN GENERAL DE TU IGLESIA. Es importante recordar que la función principal del ministerio juvenil es servir a la iglesia local. Muchos grupos juveniles actúan

como si estuvieran en competencia con el resto de la iglesia. Otros ignoran totalmente a la iglesia y otros no se molestan en preguntarse: ¿Cómo podría el ministerio juvenil de esta iglesia servir mejor y ayudar a que esta iglesia cumpla con los propósitos de Dios? Recuerda que todo es relaciones, relaciones y relaciones. Construye una buena relación con los líderes de la iglesia, con la iglesia, con los padres de los chicos y con los chicos y tendrás un ministerio realmente impactante. Relaciones, relaciones y relaciones.

La letra «C» tiene que ver con ciertos objetivos que permitirán al ministerio alcanzar el propósito final. Estos objetivos son específicos y mensurables, podrían responder a la pregunta «¿Qué enseñamos?» Esto depende del nivel en que se encuentre la persona en la letra «B.» La meta es lograr que la persona alcance y discipule a otros, mientras nosotros hacemos todo lo necesario para que la persona desarrolle una mejor relación con Dios. Debemos reconocer que no todos alcanzarán este nivel, pero todos somos responsables de hacer nuestro mejor esfuerzo para lograr que los jóvenes se acerquen más a Dios. Tal vez signifique invitar a un joven no cristiano a un estudio bíblico y permitirle hacer una decisión tocante a Jesucristo. El recurso principal de nuestra enseñanza siempre será la Palabra de Dios.

Es en esta sección donde te enfocas en las metas y los objetivos mensurables. Trata de no enfocarte en los números. Dedícate a desarrollar objetivos constantes y apropiados para la letra «A» *¿Por qué existimos?* A continuación, encontrarás algunos ejemplos de objetivos o metas mensurables a corto, mediano y largo plazo.

Metas a corto plazo
Es nuestra meta enseñar a los jóvenes a llevar a otros su fe.
Es nuestra meta enseñar a los jóvenes a estudiar la Biblia.

Metas a mediano plazo
Es nuestra meta que la mitad de los jóvenes testifiquen a toda la iglesia.

Es nuestra meta que la mitad de los jóvenes cuenten al grupo lo que aprendieron en sus estudios bíblicos personales.

Metas a largo plazo

Es nuestra meta que la mitad de mis jóvenes alcancen a un amigo para Cristo.

Es nuestra meta que la mitad de mis jóvenes tengan un estudio bíblico en su escuela o casa.

Recuerda que la idea de las metas y los objetivos no es solo escribir por escribir, sino hacerlos mensurables y prácticos.

Nuestra siguiente letra es la «D» que responde la pregunta «¿Cómo enseñamos?» o «¿Cómo logramos las metas establecidas?». En esta sección es donde debemos utilizar las teorías de aprendizaje que constantemente se relacionan con las secciones anteriores. Por ejemplo: Nadie del equipo de líderes va a tratar a un joven como si no tuviera valor porque esto no sería coherente con el resto de nuestra filosofía. Es en estas ocasiones que no podemos permitir que el fin justifique los medios. Cómo enseñamos (método) a los jóvenes es tan importante como lo que enseñamos (contenido.) Para ser coherentes con la letra «C» podríamos decir que lo que deseamos alcanzar es tan importante como la manera en que pensamos alcanzarlo. Si nos preguntamos qué enseñamos, la respuesta siempre tendrá que ser la Palabra de Dios de una forma relevante para los jóvenes. Es aquí donde las ideas teóricas se combinan con las prácticas.

Es en este aspecto del ministerio en donde surgen los temas de:

- **La enseñanza creativa:** El uso de dramatizaciones, enseñanza interactiva, juegos, ilustraciones, estudios de casos, historias de la vida real, vídeos, otros audiovisuales, etc...

  La Editorial Visión Joven (www.visionjoven.com) tiene los mejores recursos para la enseñanza creativa.

- **Modelar:** Que te miren a ti, no solo hablarlo sino vivirlo.
- **Las experiencias prácticas:** Que ellos mismos puedan ensuciarse las manos.

Finalmente debemos observar la letra «E» para planear y practicar toda esta filosofía. Esta sección es la que nos ayuda a llevar la filosofía de la cabeza a las manos. No solo vamos a hablar de cómo se lleva a cabo esta filosofía, sino que debemos hacerlo. El programa y todo planeamiento deben glorificar a Dios y edificar a los estudiantes para que estos se acerquen más a Dios. Aquí contestamos ¿Cual es el plan? (El programa). Aunque parezca tedioso, es en esta parte en donde ya ponemos las cosas en un calendario. Sugerimos la idea de utilizar trimestres (mira el ejemplo de un calendario por trimestres en las páginas 37 a la 40).

ENERO – MARZO	ABRIL – JUNIO
JULIO – SEPTIEMBRE	OCTUBRE – DICIEMBRE

El programa juvenil puede incluir una variedad de actividades y programas diversos que concuerden con el resto del panorama del ministerio juvenil (ver Programación, en el capítulo 4.)

Una parte importante de nuestro ministerio es que los jóvenes conozcan a Jesucristo. Nuestro deseo es que cada individuo confronte la verdad, busque y viva La Verdad.

En resumen, deseamos cumplir con esta gran labor a través de un ministerio que considera seriamente los siguientes elementos.

1. No solo deseamos facilitar el desarrollo espiritual de los jóvenes, también el lado social, emocional, intelectual y físico. Recuerda las áreas en las que Jesús crecía. Lucas 2:52: *Y Jesús crecía en sabiduría* (intelectualmente) *y en estatura* (físicamente), *y en gracia para con Dios* (espiritualmente) *y los hombres* (socialmente.)

Iglesia

Líder Juvenil
Teléfono
Email

Ministerios Juveniles
Teléfono
Email

Enero
Febrero
Marzo
20__

Hacia la meta

Enero

20 __

Lunes	Martes	Miércoles	Jueves	Viernes	Sábado	Domingo
	1	2 Células	3	4	5	6
7	8	9 Células	10	11	12	13 Taller
14	15	16 Células	17	18	19 Proyecto M	20 Taller
21	22	23 Células	24	25	26	27
28	29	30 Células	31			

ALCANCE

CAMPAMENTO

Conferencia Juvenil

CELEBRACIÓN JUVENIL

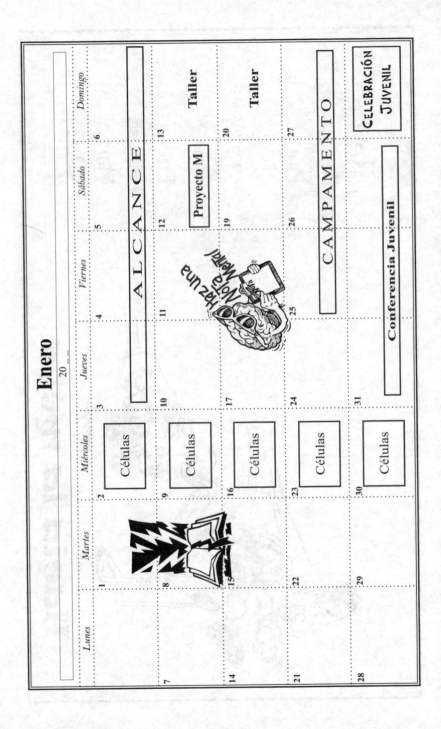

Febrero

20 _ _

Lunes	Martes	Miércoles	Jueves	Viernes	Sábado	Domingo
		Células	**MIMOS**	Conferencia Juvenil		
4	5	6	7	1	2	3
		Células		Conferencia Juvenil	Proyecto M	**Taller**
11	12	13	14	8	9	10
		Células		Equipo de apoyo		**Taller**
18	19	20	21	15	16	17
		Células		*Comparte tu fé*	PROYECTO SERVICIO	
25	26	27	28	22	23	24
		Células				CELEBRACIÓN JUVENIL

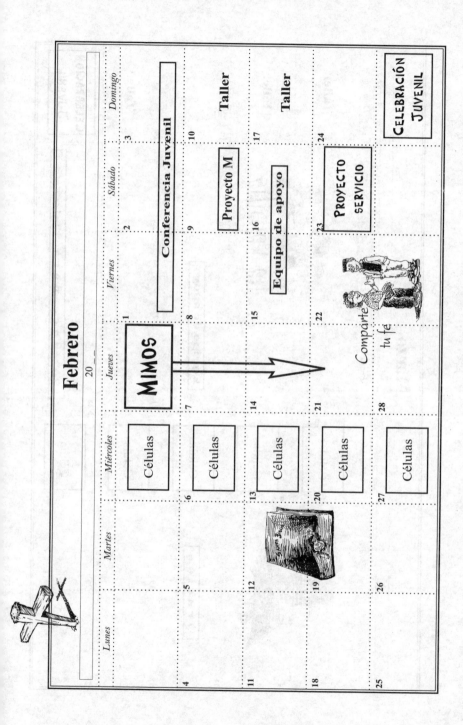

Marzo
20 ___

Lunes	Martes	Miércoles	Jueves	Viernes	Sábado	Domingo
				1	2	3 **Taller**
4 ¡Wow!	5	6 Células	7	8	9	10 **Taller**
11	12 O r a c i ó n	13 Células	14	15 Equipo de apoyo	16	17 **Taller**
18	19	20 Células	21	22	23	24 **Taller**
25	26	27 Células	28 A v a n c e p a r a l í d e r e s			**CELEBRACIÓN JUVENIL**

La Familia

2. En experiencia: Debo permitirles a mis jóvenes que experimenten el mundo como Jesús lo experimentó. El ministerio de Jesús no se desarrolló dentro de cuatro paredes. Jesús salió al mundo con sus discípulos y les permitió experimentar lo que les enseñaba. Los jóvenes aprenden mejor haciendo que escuchando.

3. Una alta expectativa de los jóvenes: ¡Los jóvenes alcanzan a los jóvenes! Ellos son los que hacen el trabajo. No puedo aspirar a que mis jóvenes crezcan espiritualmente o en cualquier otra área si me siento a esperar que alcancen la madurez espiritual. No me mal entiendas. No digo que tan pronto como se convierta un joven ya debemos ponerlo a dirigir las alabanzas en la iglesia. Solamente estoy diciendo que no debo esperar mucho de ellos antes de permitirles que pongan en práctica sus dones y talentos.

Quisiera tomar un minuto para separar los dones de los talentos. Los dones son regalos divinos, habilidades espirituales que Dios les ha dado a los jóvenes para que ayuden a la edificación de la iglesia. La lista de los dones está en los pasajes como 1 Corintios 12, Romanos 12 y Efesios 4. Los talentos son habilidades musicales, artísticas y de otra índole que no necesariamente tienen que ver con algo espiritual. Muchos jóvenes tienen dones y talentos y es mí responsabilidad ayudarlos a descubrirlos y utilizarlos para nuestro Dios.

LOS NÚMEROS

1. Visión. El sueño máximo (Estación del tren)

La Palabra de Dios dice que sin visión el pueblo perece. Si en nuestras vidas y ministerios no tenemos sueños y ambiciones grandes, siempre seremos personas y ministerios limitados. Debemos asegurarnos de que esta visión sea tan grande que no se pueda cumplir sin la ayuda de Dios. Es en la visión donde yo veo mis limitaciones y reconozco el poder de Dios para suplir esas limitaciones. La visión no es el resultado de un momento de locura o esquizofrenia. La visión tiene que nacer como resultado de tu relación con Dios. Ni tú ni yo queremos construir visiones humanas o egocéntricas. En oración buscamos la guía de Dios. Esperamos que sea Él quien nos comunique su visión para nuestro ministerio. Recuerda que soñar es gratis.

LA VISIÓN DEL MINISTERIO *Liderazgo Juvenil*
(*www.lideresjuveniles.com*)

Ofrecer preparación de calidad, recursos y apoyo para los ministerios juveniles en todo el mundo de habla hispana. *Liderazgo Juvenil* espera establecer ministerios en todo los países de habla hispana que puedan servir a los jóvenes, sus padres y los líderes. Deseamos ver un ejército de jóvenes latinos saliendo de sus países para hacer discípulos en todas la naciones.

Visiones como estas ilustran un sueño, un ideal que solamente Dios puede llegar a cumplir. En la visión, Dios no nos necesita, pero nos da el privilegio de participar en sus planes. La pregunta es ¿estamos verdaderamente dispuestos a participar en el gran plan de Dios? Pongámoslo de esta manera: La mayoría de nosotros respondería afirmativamente a esta pregunta. Si yo te preguntara si es bueno incluir a Dios en nuestros planes, es muy posible que sin duda alguna responderías que sí. La mayoría de las personas están de acuerdo en que es bueno incluir a Dios en sus planes. Pero más importante es permitir que sea Dios quien nos incluya en sus planes. Muchos de nosotros decimos: Dios, aquí están mis planes, bendícelos. Cuando en realidad deberíamos decir: Aquí está mi vida, ¿qué deseas hacer conmigo? Nuestra oración debiera ser: «Dios, ayúdame a entender y a participar de la visión que tú deseas para mí y el ministerio juvenil que me diste.»

2. **Misión.** (La locomotora)

La misión brinda la fuerza que moverá el ministerio juvenil. La misión se convierte en el lema que define lo que hacemos y lo que somos. ¿Qué es lo que Dios nos ha llamado a hacer y a ser como ministerio juvenil?

Permíteme aclarar que la misión no es lo mismo que el propósito. Míralo como un cono. En el fondo está el propósito, la misión es el cuerpo del cono y la visión es el resultado final al que deseo llegar. La visión es el sueño máximo.

La Visión ⟶

La Misión ⟶

El Propósito ⟶

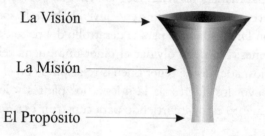

Es muy fácil caer en la rutina, la comodidad y el conformismo. Debemos renovar, inventar, crear, soñar y, ¿por qué no?, cambiar constantemente para el bien del ministerio y para cumplir con el porqué de lo que hacemos. Piensa en cuál debe ser el lema que describa la misión de tu ministerio juvenil.

A continuación exponemos algunas ideas que unos grupos juveniles adoptaron como respuesta a la pregunta *¿por qué existe nuestro ministerio?*

«Nuestro ministerio juvenil existe para alcanzar a los jóvenes no cristianos, discipularlos y enviarlos a las naciones.»

«Este ministerio juvenil existe para alabar, adorar y exaltar el nombre de nuestro Dios a través de la vida de jóvenes transformados por el poder de Dios actuando diariamente en sus vidas.»

«El grupo de jóvenes *Vencedores* existe para ayudar a los jóvenes a conocer a Dios y darle a conocer.»

«Nuestro ministerio juvenil existe para ayudar a los jóvenes a crecer en el Señor y traer a otros jóvenes a la comunidad de la fe.»

Estas frases ilustran ideas generales que ayudan a tener una dirección. No podemos desarrollar ministerios juveniles eficientes si no sabemos hacia dónde debemos ir. Es muy fácil programar y llevar a cabo actividades sin propósito o con propósitos infieles a la misión o la visión.

3. **Relaciones.**

El carro de carbón ofrece la energía para la locomotora. Con esta energía la locomotora camina efectivamente. De igual manera las relaciones son las que proveen la energía necesaria para el ministerio juvenil. Mi relación personal con Dios es la base para el desarrollo del resto de mis relaciones. No debo olvidar el tener una buena relación con Dios, además de tener buenas relaciones con el equipo de apoyo, los líderes de la iglesia, los padres y los jóvenes. ¿Cuánto estoy invirtiendo para construir esas relaciones?

4. **Cultura.**

Se representa en el dibujo del sol. La luz del sol es la que te permite ver tu realidad (los valles y las montañas) con ciertos tonos y contrastes. Tu conocimiento de la cultura juvenil te ayudará a ver la realidad en la cual ministras de una forma adecuada y eficaz. Todo líder juvenil debe ser un experto en la cultura juvenil.

5. **Contexto.**

Se representa en el dibujo de los valles y las montañas. Tu país, región, ciudad, comunidad, vecindario o barrio son parte del contexto. ¿Conoces bien tu contexto? ¿Sabes dónde están los jóvenes? ¿Qué escuelas o universidades están cerca de tu iglesia? ¿Qué lugares frecuentan los jóvenes? ¿Cuál es el mejor lugar para hacer un alcance evangelístico? ¿Qué lugares se prestan para diversos proyectos? Recordemos que vamos entre valles y montañas. Habrá tiempos buenos y malos. Es importante conocer tu contexto para ministrar eficientemente en el lugar donde te encuentras.

6. **Evaluación.** Está representada por la torre de agua. No podemos esperar mejorar ni crecer en nuestro ministerio si no tomamos tiempo para detenernos a evaluar. La evaluación es importante para refrescarnos y tomar nuevas fuerzas para el camino.

Aquí vemos lo que hemos logrado y lo que no hemos logrado. Aquí hacemos la proyección de lo que debemos hacer para mejorar.

NÚMEROS ROMANOS

Marco de evaluación. (Las ruedas)

El concepto FODA constantemente se utiliza en empresas y compañías.

I **Fortalezas.** ¿Qué estamos haciendo bien? ¿Cómo podemos hacerlo mejor?

II **Oportunidades.** ¿Qué puertas se están abriendo? ¿Qué podemos hacer al respecto?

III **Debilidades.** ¿Qué cosas estamos haciendo mal? ¿Qué debemos hacer para mejorar?

IV **Amenazas.** ¿Cuáles son los posibles obstáculos que podrían surgir? ¿Cómo nos vamos a preparar para enfrentarlas?

7. **Espíritu Santo.** El viento lo representa en el dibujo. Es la guía y dirección del Espíritu Santo, el que da sentido a todo lo que hacemos. Así como el viento toca todas las áreas del panorama, el Espíritu Santo debe tocar todas y cada una de las áreas del ministerio. Puedo tener un excelente programa, un lindo panorama del ministerio juvenil, pero si no tengo la bendición, la gracia y la guía de Dios, de nada me sirve todo lo lindo y ordenado que tenga.

A

EL MINISTERIO JUVENIL EXISTE CON EL PROPÓSITO DE:

Glorificar a Dios viviendo una vida de adoración mediante la edificación de los cristianos y el alcance de los no creyentes, ayudándolos a conocer mejor a Dios, a través de Su palabra; sirviéndonos unos a otros y al mundo que nos rodea.

B

EL MINISTERIO JUVENIL CONSISTE EN:

Líderes maduros, imperfectos, pero redimidos. Jóvenes cristianos de todos los niveles, imperfectos y redimidos. Jóvenes no cristianos, padres de familia y la iglesia en general.

C

EL MINISTERIO JUVENIL CONSISTE EN:

La Palabra de Dios con relación a todos los jóvenes en sus diferentes niveles y al equipo de líderes.

D

EL MINISTERIO JUVENIL ENSEÑA A TRAVÉS DE:

Enseñanza
Predicación
Modelos vivos
Experiencias prácticas
Observación

E

LA PROGRAMACIÓN CONSTA DE:

Semanal	Periódica
Estudios bíblicos	Campamentos
Discipulado	Avances
Reuniones de oración	Proyectos
Servicios de adoración	Alcances
Otros…	

Ver el capítulo 4

DIAGRAMA #1

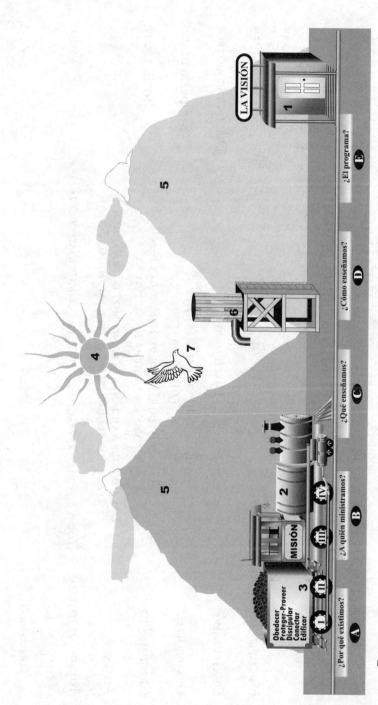

LA VISIÓN

1

MISIÓN

Obedecer
Proteger-Proveer
Discipular
Conectar
Edificar

3

2

4

5

5

6

7

A ¿Por qué existimos?

B ¿A quién ministramos?

C ¿Qué enseñamos?

D ¿Cómo enseñamos?

E ¿El programa?

DIAGRAMA #2

Los jóvenes en el ministerio juvenil...

Multiplicación	Pocos — Eres Líder
Discipulado	Discípulos — Discipular a otros
Desarrollo	Grupos interesados en edificar a otros — Ser discipulado
Crecimiento	Los cristianos que vienen, escuchan y viven la palabra en sus vidas — Involúcrate
Alcance	Los jóvenes a quienes alcanzamos o con quienes tenemos alguna especie de comunicación — Ven
Todos los jóvenes	Todo posible contacto en nuestra comunidad o cuidad — Vamos

Diagrama #3

CAPÍTULO TRES

DESARROLLO DE RELACIONES SALUDABLES

UN AMIGO MÁS QUE UN LÍDER

No olvidaré el día en que logré que mis jóvenes me empezaran a ver como a un amigo y no solamente como al líder de jóvenes. Algo increíble sucede cuando los jóvenes te ven más allá del título de «líder juvenil», es decir, como a una persona real y transparente. Una de las hazañas más significativas en el grupo fue que los jóvenes dejaran de utilizar el lenguaje religioso y empezaran a verme como Jeffrey. «Yo no soy "hermano Jeffrey"» les repetía a mis chicos. «Mi nombre es Jeffrey.» Tampoco me gustaba que me dijeran «pastor». No hay absolutamente nada malo en el título de pastor siempre y cuando no se convierta en un obstáculo para desarrollar relaciones significativas entre el líder y los demás. En algunas ocasiones el título puede convertirse en la barrera que evita que se construyan buenas relaciones.

Una de las experiencias más positivas que tuve en la universidad sucedió durante mis estudios doctorales. Recuerdo cuando el doctor Perry Downs entró al auditorio de la universidad para dar inicio a uno de los cursos más rigurosos y retadores. Su primeras palabras fueron: «Mi nombre es Perry. Ese es mi nombre y así espero que me llamen. Recuerden que mi nombre es Perry no doctor Downs.» Me pareció una introducción bastante interesante ya que Perry tenía suficientes credenciales académicas como para pedirles a todos los presentes en el auditorio que usaran un título

> YO DEBO GANARME EL DERECHO DE QUE LOS CHICOS ME CONSIDEREN UN VERDADERO AMIGO.

antes de referirse a su apellido. Ciertamente aquel profesor universitario derribó toda posible barrera que pudiera surgir como resultado de la utilización demandante de un título. Creo que el punto está claro. No hay nada malo en utilizar títulos o posiciones siempre y cuando estos títulos o posiciones no vengan a estorbar unas relaciones que pueden ser valiosas.

Yo sé que algunos de ustedes piensan que si los chicos te empiezan a ver como amigo, no te respetarán, es cierto que el ser llamado por tu primer nombre y llegar a ser un verdadero amigo no son sinónimos. Un chico podría llamarme por mi primer nombre y no considerarme su amigo, así como podría llamarme hermano o pastor y considerarme su amigo. Por el otro lado también existe la posibilidad de que los chicos puedan tratarme como a uno de ellos y no respetarme. Es por eso que yo debo ganarme el derecho de que los chicos me consideren un verdadero amigo. Esto tiene mucho que ver con la gracia de Dios. Constantemente oro para que Dios me dé gracia delante de los chicos a los que sirvo o ministro. ¿Entiendes que no hay razón alguna para que un joven quiera verme como a un amigo, si tiene personas a su alrededor que son de su edad, se visten como él o ella y los entienden? La gracia de Dios es la única explicación.

El ministerio juvenil efectivo tiene que ser un ministerio de relaciones. Hasta me atrevería a decir que cualquier ministerio efectivo tiene que ser un ministerio relacional. La gracia de Dios representa un papel clave en este proceso de desarrollar la credibilidad necesaria delante de los chicos para que te consideren su amigo. Te sugiero algunos principios prácticos para comunicar a los chicos de tu ministerio que más que un líder juvenil, eres un amigo. Estos principios los aprendí de otros amigos que han sido excelentes líderes juveniles por varios años.

El principio del *amor incondicional*

Este principio es el que le comunica a los chicos que no importa lo que suceda, tú los sigues amando. De tu parte no hay condiciones que te puedan hacer amarlos más. Si me permites ser honesto, te contaré una cosa indiscutible en mi vida de hogar. Nunca me gustó estudiar. Mi hermano mayor siempre sacaba las mejores notas y peor aun es que mi hermana también. Mi hermano y mi hermana esperaban con gran expectación la entrega de las calificaciones de la escuela, mientras que para mí ese era el día del Armagedón. En uno de esos tantos días de juicio mi hermano llegó con altas calificaciones y mi hermana no solo traía altas calificaciones sino también honores. Más atrás llegué yo, pero lo primero que hice fue esconder mi tarjeta de calificaciones. Por supuesto, mis padres deseaban ver nuestras calificaciones. Mi hermano trajo su tarjeta, mi hermana trajo su tarjeta y yo traje mi careta de catcher. Estaba listo para recibir un gran regaño. Mi padre vio la tarjeta de mi hermano... llena de buenas notas... vio la tarjeta de mi hermana... llena de buenas notas... vio mi tarjeta... llena de malas notas. Llegó la hora de la verdad. Mi padre felicitó a mi hermano y a mi hermana y les pidió que me dejaran solo con él. Mi padre tomó la tarjeta de mi hermano y me mostró sus buenas calificaciones, tomó la tarjeta de mi hermana y me mostró sus buenas calificaciones, tomó mi tarjeta y también mi mano y me dijo: «Jeffrey, quiero que sepas que aunque saques buenas calificaciones o saques malas calificaciones, yo te quiero igual. Yo no te quiero porque saques buenas calificaciones... te quiero porque eres mi hijo.» Mi padre me recordó que no me quería por lo que hacía o dejaba de hacer, me quería simple y sencillamente por ser su hijo.

El mismo principio se aplica a los jóvenes de la iglesia. Yo no quiero a los chicos de mi grupo porque se portan bien o porque van a las actividades de la iglesia, o porque son disciplinados o porque no quedan embarazadas o porque no utilizan drogas. Los quiero porque son seres humanos creados a la imagen y semejanza de Dios. Creo que no puedo destacar cuán importante es este principio.

Ninguno de nosotros puede hacer absolutamente nada para lograr que Dios nos ame más. Su amor para contigo y para conmigo es incondicional. No hay nada que tú o yo podamos hacer para que Dios nos acepte mejor o nos quiera más. Dios nos ama por dos razones principales. La primera y más importante es que nos ama porque es Su naturaleza. Dios es amor. La segunda razón es que somos criaturas creadas a Su imagen y semejanza. Él no nos ama por lo que hacemos, sino por lo que somos. ¿Cómo amamos a nuestros chicos o jóvenes en la iglesia? ¿Saben los chicos de la iglesia que en su líder tienen un amigo incondicional? No importa que se pinten el pelo o no. No importa si van a las actividades o no. No importa si se involucran o no. Estas cosas no se comparan con el hecho de que ellos sepan que siempre los amaré no importa si sacan buenas calificaciones o no. ¿Entiendes la idea? No estoy diciendo que no sea necesario esforzarse o mejorar o hacer cosas buenas, lo que digo es que mi amor nunca debe ser condicional.

Es triste ver cuántos jóvenes se alejan de las cosas de Dios luego que se involucran en las cosas del reino y están llenos de entusiasmo. Lucas empezó a asistir a nuestro grupo juvenil, después de participar en un campamento, y pronto comenzó a crecer espiritualmente. Participó de lleno en el discipulado y la evangelización de sus compañeros de estudio. Sin embargo, por alguna razón no muy clara, después de algunos años empezó a alejarse de nosotros y de la iglesia. Enseguida empezamos a buscarlo y a visitarlo, pero todo fue en vano. Lucas desapareció de nuestras vidas y no volvió a la iglesia. Honestamente creo que si hay algo que pueda traer a Lucas de regreso a la iglesia, será el amor y la aceptación incondicional. Si Lucas sabe que a pesar de lo que haya escogido hacer, sus líderes y amigos de la iglesia lo aman sin condiciones, es posible que él encuentre motivación para regresar. Aquí estaremos con los brazos abiertos esperándolo. ¿Cuándo llegará el día en que practiquemos el amor de Dios en el contexto de la iglesia? ¿Cuándo llegará el día en que podamos ver a los jóvenes como Dios los ve? ¿Cuándo veremos mas allá de las modas y las malas actitudes y comunicaremos a nuestros jóvenes el amor incondicional de Dios? ¿Qué tuviste que cambiar para que Dios te amara y te aceptara? Hoy en día hay demasiadas personas en la iglesia representando el papel del Espíritu Santo. Son ellos o ellas los que tratan de hacerles ver a las personas sus pecados y convencerlos de su maldad.

Tal vez esta ilustración no sea ciento por ciento apropiada, pero ilustra la actitud de muchas personas de nuestras iglesias. Nadie hubiera dicho que estaba bien usar la ropa y los aretes que Ricardo usaba diariamente. Ricardo empezó a asistir a nuestro ministerio juvenil y todavía ni siquiera era cristiano. Pronto se hicieron llegar los comentarios de los «hermanitos» criticando y acusando a Ricardo de ser un pervertido y una mala persona. No solo lo juzgaron por su exterior sino que además, sin saber su condición espiritual, empezaron a decirle todas las cosas que debía quitarse y ponerse para ir a la iglesia. Por fortuna, Ricardo entendió que hasta en la iglesia hay personas inmaduras que no pueden ver más allá de la ropa ni tampoco pueden confiar en que el Espíritu Santo convencerá de pecado al que está en él.

El ministerio de la afirmación

¿Por qué somos buenos para ver lo malo que hacen otros y nos cuesta tanto ver lo bueno que hacen? ¿Por qué es fácil disciplinar lo malo y difícil afirmar lo bueno? La mayoría de nosotros fuimos educados con la fórmula *malo = disciplina*. Esta fórmula dice que todo lo malo tiene que ser disciplinado pero se olvida ver lo bueno. La fórmula que dice *bueno = afirmación* es diferente, pero no contradice la primera. Esta fórmula dice que la disciplina puede venir en el contexto de ver lo bueno y afirmar a la persona por ello. Permíteme explicártelo con la siguiente ilustración.

Uno de esos días raros y únicos en que estaba cocinando con mi esposa, Wenona, escuchamos un grito. André estaba parado a unos cuantos pasos de su hermano Víctor, quien se encontraba en el suelo con un golpe no muy serio en la cabeza. Mientras tomaba suficiente aire y absorbía el oxígeno de todo el cuarto para pegar un grito, Víctor pudo apuntar a su hermanito que estaba parado a unos cuantos pasos con cara de «yo no sé». En su segundo grito, Víctor apuntó hacia el arma del crimen. André había tomado el trozo de madera con el que le pegó a su hermanito y lo colocó en un lugar poco sospechoso. No lo escondió sino que lo colocó estratégicamente. Todo estaba claro. André tomó el bloque de madera y se lo tiró a su hermanito. Víctor no pudo agarrarlo y pronto se vio en el suelo con un buen dolor de cabeza. Como un padre justo que siempre he deseado ser, le pedí a André que fuera a su cuarto y esperara a papá. Para hacer la historia corta te narro la conversación que tuve con mi hijo: «André, quiero decirte que papi aprecia mucho que seas tan valiente. Gracias por no esconderte. Eres muy valiente.» André se sentó un poco más derecho en su silla y sonrió. Seguidamente le dije: «André, además quisiera decirte que eres una persona muy creativa. Qué rápido pensaste en hacer algo con el arma del crimen. ¡Eres muy creativo!» A este punto André ya estaba bien sentado con una sonrisa en su rostro. Continué diciéndole: «André, gracias por no haber mentido. A mami y a papi les agrada mucho que no nos mientas. Gracias por no mentirnos. Ahora, André, te voy a disciplinar porque quiero que recuerdes que nunca le debes pegar a tu hermanito con los trozos de madera.» André apretó su cuerpecito y recibió su disciplina. Inmediatamente reconoció que la disciplina era para su bien. ¿Sabes algo? André jamás le volvió a pegar a su hermanito con ese trozo de madera. La próxima vez le pegó con un bate, pero nunca volvió a utilizar el bloque. Mi amigo Josh McDowell dice que la disciplina en el contexto de afirmar algo bueno, traerá un buen fruto. Si solamente vemos lo malo y disciplinamos por ello, perdemos el derecho de disciplinar. El hecho de ver lo bueno y afirmar a la persona nos da la credibilidad para disciplinar.

Serví en un grupo de jóvenes en el cual la chica del teclado y el chico de la batería se hicieron amigos «cercanos». Un día, un líder de la iglesia los encontró besándose detrás del púlpito. Por supuesto que llamaron a todos los líderes de la iglesia para una

MIENTRAS MÁS AFIRMO A MIS JÓVENES POR TODAS LAS COSAS BUENAS QUE HACEN, SON MENOS LAS COSAS MALAS QUE HACEN.

reunión en la que se discutiría qué clase de disciplina se utilizaría. No me creerás si te digo que en aquella reunión solamente escuché quejas y comentarios de la mala conducta de esos chicos. No me es muy difícil enojarme cuando creo que alguien es injusto con alguno de mis chicos. Me puse de pie y les pregunté a los líderes presentes, ya listos a tirar la primera piedra: «Quisiera saber ¿cuál de ustedes le ha mandado una nota de agradecimiento a Marcos o a Rita por ayudarnos todas las semanas con la alabanza? ¿Quién de ustedes se tomó la molestia de darles una llamada y decirles cuánto agradecen todas las horas que invierten practicando para que el domingo la música salga bien?» Por supuesto que ninguno respondió. Todos veían lo malo que hicieron estos chicos, pero nadie se molestó en ver lo bueno que hacían y apoyarlos por eso. Nadie se había molestado en ganarse el derecho de disciplinar. Ninguno de nosotros tiene el derecho de disciplinar a una persona si antes no invirtió tiempo observando lo bueno que hizo y elogiándolo por ello.

El ministerio de la afirmación ha llegado a ocupar un lugar importante en mi ministerio. Me he dado cuenta de que mientras más afirmo a mis jóvenes por todas las cosas buenas que hacen, son menos las cosas malas que hacen. Además, afirmarlos los ayuda a reforzar esas características positivas que de otra forma posiblemente nunca podrían ver.

El ministerio de afecto

A María Andrea nadie la convencía de que su vida valía mucho. Llegó a nuestro ministerio juvenil como a los 13 años de edad. Hoy, a los 23 años, la casé con un buen chico que conocí cuando tenía 16 años y ahora los dos están iniciando un lindo hogar. Durante la ceremonia le pedí a María Andrea que me permitiera leer un pasaje de su Biblia. Una pequeña nota se cayó y sin querer tuve que leerla. Era como si la nota dijera: «léeme, léeme». La nota decía algo así:

> Querida María Andréa:
> Gracias por tu participación en nuestro campamento. Eres una persona muy especial. Gracias por darme el privilegio de ser tu pastor de jóvenes.
> En el amor de Jesús, tu amigo y pastor,
>
> Jeffrey D. De León

Recordé escribir aquella pequeña nota hace diez años, mostrándole afecto a María Andréa. Por supuesto que existen varias posibilidades. La primera posibilidad es que María Andréa no hubiera leído la Biblia en diez años y olvidara tirar el papelito. La otra posibilidad es que una pequeña muestra de afecto hiciera una marca especial en su vida.

Mostrar afecto comunica, de forma palpable a los jóvenes, que los amamos. Los líderes hombres deben tener mucho cuidado con las chicas y las mujeres líderes deben tener mucho cuidado con los chicos. Lo que no se puede debatir es que si nuestros jóvenes no encuentran afecto en nuestro ministerio, ni en su hogar, seguramente lo buscarán en otro lugar. Es una pena que hayan tantos chicos cristianos y no cristianos que se aprovechen de la necesidad de afecto de las chicas cristianas y terminen dejándolas embarazadas y heridas. No quisiera sonar fatalista, pero algunas veces me pregunto cuánta culpa tenemos de que tantas chicas busquen afecto fuera de la iglesia. Si no les mostramos afecto respetuoso y puro a nuestros jóvenes, es muy posible que otros lo harán con motivaciones no tan puras como las nuestras.

Dentro de este tema es importante mencionar la importancia de las precauciones. Todo líder es responsable de tomar todas las precauciones necesarias para no verse en situaciones comprometedoras. No es un secreto para los líderes que en toda iglesia hay chicas con una fuerte necesidad de afecto. Naturalmente, el líder es la primera persona que buscarán. Entre las precauciones que podría tomar como líder (hombre o mujer) están:

- Evitar a toda costa encontrarse solo con algún chico del sexo opuesto.
- Evitar cualquier clase de afecto físico prolongado. Me refiero a un abrazo, un beso o cualquier muestra de afecto similar que no debe durar más que uno o dos segundos.
- Evitar que el afecto se limite al contacto físico.
- Constantemente buscar la santidad y la pureza delante de Dios y los hombres.
- Después de mencionar algunas de las precauciones quisiera reforzar una muestra de afecto sencilla pero que tiene mucho poder.

A Luis nadie le había mostrado mucho afecto durante su infancia. Era aún más evidente ahora que tenía unos doce años de edad. Luis es el clásico adolescente que no le gusta que se le acerquen y mucho menos que lo abracen. Su necesidad de afecto era tan clara que me propuse darle un abrazo a Luis cada vez que lo viera. (Esto no tiene nada que ver con las personalidades. Honestamente no creo que exista «la personalidad de los abrazos». Si yo sé que mis jóvenes necesitan afecto, entonces me voy a esforzar y le voy a pedir fuerzas al Espíritu Santo para que sea Él quien me ayude a mostrar ese afecto tan importante en la vida de los chicos.) Luis, como cualquier adolescente, tomaba la posición de momia egipcia cuando uno lo abrazaba. Apretaba sus brazos contra su cuerpo se encogía un poco y se congelaba. Pronto encontré que la satisfacción de un abrazo de su líder era evidente, aunque tomara la posición de momia. No tomó mucho tiempo para darme cuenta de que cada semana, cuando nos mirábamos, Luis se aseguraba de pasar cerca de mí simulando no querer ser abrazado, aunque en realidad se moría por un abrazo sincero de su líder. Luis nunca dejó de recibir un abrazo de mi parte y de escuchar cuánto lo amábamos. Estoy seguro de que esos abrazos ayudaron a Luis a sobrevivir el divorcio de sus padres y la difícil etapa de la adolescencia. No espero que Luis aparezca en mi oficina con flores y tambores para agradecerme esos abrazos, pero quién sabe si en un futuro no muy lejano, su esposa lo haga.

Accesibilidad

Muchas veces he escuchado lo importante que es ser una persona accesible para los chicos. Ahora que tengo hijos puedo ver la importancia de no solo estar allí cuando nos necesitan, sino intencionalmente separar un tiempo para estar con ellos. Escuchaste bien: Intencionalmente, porque tengo que esforzarme para dedicarles un tiempo. Otros ya lo han dicho y yo lo vuelvo a repetir. Los jóvenes no deletrean amor A-M-O-R, lo deletrean T-I-E-M-P-O. No puedo esperar tener un ministerio juvenil relacional si no invierto tiempo con mis jóvenes.

A mi hijo André David le gusta mucho jugar con dinosaurios y a mi hijo Víctor Ariel le gusta jugar con trencitos. Una cosa es muy evidente en nuestra casa, papá le puede decir a André y a Víctor que los ama pero si no juego con ellos, los dinosaurios y los trencitos, nunca realmente sabrán que los amo. Es decir, tengo que dejar que los dinosaurios de André se coman a mis dinosaurios y tengo que dejar que los trencitos de Víctor vuelen y los míos no. Mientras más tiempo invierto con André y Víctor más fácil se les hace a ellos creer que los amo. Además, nunca he tenido problemas al pedirles a Víctor y André que se sienten a escucharme para decirles algunas cosas importantes de la vida. ¿Sabes por qué? Sin duda alguna se debe al hecho de haber ganado el derecho de que me escuchen, porque he invertido tiempo jugando sus juegos con ellos. Así que cuando llega el tiempo de jugar «mis juegos», ellos están dispuestos a escucharme. En muchas ocasiones he escuchado: «Yo no paso cantidad de tiempo con mis jóvenes… yo paso calidad de tiempo con mis jóvenes.» Ante esta afirmación quisiera preguntar: ¿Cómo es posible tener calidad de tiempo sin antes invertir cantidad de tiempo? No hay duda de que la calidad de tiempo surge como resultado de la cantidad de tiempo invertido.

No importa cuántos programas divertidos o con propósitos tengamos en nuestro ministerio. Si no invertimos cantidad de tiempo con nuestros jóvenes, será muy difícil lograr la credibilidad que necesitamos para ministrarlos. No me mal entiendas, sé muy bien que lo que menos tenemos es tiempo y si la idea de hacer tiempo no tiene lugar en tu vocabulario, entonces déjame sugerirte que el tiempo que sí inviertes con los jóvenes sea más estratégico. Usa tu liderazgo. Invierte un tiempo con los jóvenes que responda positivamente a esa inversión con ellos. En muchas ocasiones tendrás un número de jóvenes muy reducido, pero al final del camino esta inversión, en un grupo pequeño, traerá su fruto.

El tiempo que invertimos con los jóvenes no debe reducirse a las cuatro paredes de la iglesia. El tiempo realmente valioso de mi ministerio con los jóvenes es el que empleo jugando algún deporte, viajando en algún viaje misionero, comiendo o realizando algún alcance evangelístico al lado de ellos. Recordemos que la iglesia ministra afuera de las cuatro paredes del edificio que llamamos templo. La vida cristiana que deseamos ver en nuestros jóvenes se tiene que vivir en el exterior de las cuatro paredes del templo (hablaremos de este tema un el capítulo 4).

Piensa en algunas de las siguientes preguntas:

- ¿Qué estás haciendo para invertir tiempo con tus jóvenes? Ese tiempo que inviertas, seguramente impactará sus vidas.
- ¿Qué cosas, de poca importancia, te están robando el valioso tiempo que podrías invertir con tus jóvenes?
- ¿Cuándo fue la última vez que intentaste ir a buscar a los jóvenes a su territorio?
- ¿Cuán importante es para ti invertir tiempo con tus jóvenes?

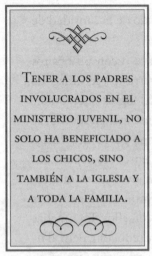

TENER A LOS PADRES INVOLUCRADOS EN EL MINISTERIO JUVENIL, NO SOLO HA BENEFICIADO A LOS CHICOS, SINO TAMBIÉN A LA IGLESIA Y A TODA LA FAMILIA.

Ministerio relacional con los padres

No podría describirte lo importante que es tener un ministerio relacional con los padres de tus jóvenes. Creo que lo único que puedo decirte es que NO puedes tener un ministerio juvenil efectivo si no tienes un ministerio con los padres. No creo necesario tener que convencerte de que en muchas ocasiones lo que haces en la iglesia, los padres lo deshacen en casa. Sin embargo, el otro lado de la moneda es que tener un ministerio con los padres te abre las puertas a un sinnúmero de recursos.

Nuestros proyectos de servicio, ministerio, misiones y demás actividades siempre demandan el apoyo y la ayuda de voluntarios. En los dieciséis años que llevo trabajando con jóvenes puedo decir que los padres han sido una de las fuentes más valiosas para esta clase de apoyo y ayuda.

En una de las iglesias en donde serví como pastor juvenil, tenía chicos de bajos y altos recursos económicos. Había un grupo de chicos y chicas que tenían gran potencial de liderazgo, pero no siempre tenían recursos económicos para participar en ciertas actividades importantes para su desarrollo, aunque siempre tratamos de que las actividades para los jóvenes estén al alcance de todos. Dos parejas de padres, que estaban participando en el equipo de líderes adultos, quisieron ayudar a este equipo de líderes. Estas parejas tenían a sus hijos en el grupo de los adolescentes, jóvenes y jóvenes adultos y era evidente que no les faltaba dinero. Así que cuando supieron que había un grupo de aproximadamente doce chicos que no podían pagar ciertas actividades que se estaban planeando, se unieron con todos los demás miembros de sus familias respectivas para ayudar a esos chicos siempre que lo necesitaban. Tener a los padres involucrados en el ministerio juvenil no solo ha beneficiado a los chicos, sino también a la iglesia y a toda la familia.

Es en este punto que quisiera hacer una advertencia. No es aconsejable invitar a un padre de familia a participar activamente en el ministerio juvenil, si antes no hemos consultado con los hijos. Tú sabes que muchos jóvenes se sienten intimidados o preocupados con la idea de que sus padres se involucren. No perdemos nada consultándoles a los hijos. Por el otro lado, si no les consultamos e invitamos a sus padres a participar podríamos con el tiempo perder a toda la familia.

No debemos olvidar que realmente estamos en lo que estamos por los chicos.

No descartemos la posibilidad de que va a llevar un poco de tiempo comunicarle a la iglesia que los padres pueden involucrarse directa e indirectamente y ser muy eficientes. Destruir el mito de que los chicos trabajan mejor con los chicos y que los adultos trabajan mejor con los adultos, tomará tiempo. Recuerda que los chicos no necesitan adultos que actúen como chicos. Los jóvenes necesitan adultos que actúen como modelos dignos de imitar, adultos responsables que sepan comunicar un amor incondicional hacia los jóvenes. Es seguro que en nuestras iglesias existen adultos que cumplen con estos requisitos. Es nuestra responsabilidad orar y buscar a estas personas que pueden ayudarnos.

Recuerdo cierta ocasión en la que un padre de familia nos sorprendió a todos. Sus dos hijos y sus amigos decidieron iniciar el «club de los buzones rotos». Estos chicos salían todas las noches a buscar buzones por todo el vecindario y utilizando un bate o palo rompían cualquier buzón que podían alcanzar desde la ventana del auto. Varios vecinos se propusieron atrapar a este grupo de chicos destructores. Los vecinos armaron el plan y funcionó. Capturaron a los chicos en pleno acto de destrucción. La sorpresa fue que el padre de dos de los chicos era el que conducía el auto que utilizaban para el «club de los buzones rotos». Este padre comprometió su posición de padre por tratar de ganarse a sus hijos actuando como ellos. No es eso lo que los chicos necesitan. Los jóvenes hoy más que nunca necesitan adultos que sean ejemplo y modelos dignos de imitar.

Recordemos que el ministerio con los padres no es para ver qué podemos sacar de ellos. Es cierto que tienen una infinidad de recursos para ayudarnos en el ministerio, pero también ellos necesitan con desesperación de nuestra ayuda. Muchos padres están esforzándose al máximo para educar a sus hijos, pero no tienen ni la menor idea de cómo lograrlo. Es aquí donde tú y yo encontramos parte de nuestra responsabilidad como líderes juveniles. Dios nos puso en el ministerio para convertirnos en aliados de la familia. Estamos allí para también servir y ayudar a los padres de nuestros jóvenes. No es fácil ganarse la credibilidad necesaria de los padres, pero existen algunas ideas prácticas que «funcionaron» en el pasado.

Ideas prácticas:

1. **Planea cenas informativas para los padres.** Anima a los jóvenes a participar cocinando y sirviendo la cena (asegúrate de que algún adulto supervise a los chicos. No queremos padres intoxicados). La idea principal de la cena es servir a los padres y presentarles el ministerio juvenil de la iglesia. Prepárate adecuadamente para brindar toda información pertinente. Permite que los padres participen con lluvias de ideas escritas, comentarios y sugerencias. Ellos deben sentirse parte de lo que estás haciendo para que se interesen en apoyar y ayudar en lo que sea posible. Planeamos estas cenas informativas unas cuatro veces al año. Se pueden realizar a principios o finales de cada trimestre.

2. **Cartas informativas.** No tienes que matarte escribiendo una carta exhaustiva de todo lo que está sucediendo en el ministerio juvenil. Una carta sencilla con algunas fechas

importantes, una pequeña reflexión o un pensamiento de algún buen libro y los teléfonos donde te puedan localizar, hará mucho para tu credibilidad.

3. **Un calendario trimestral.** Cada trimestre envía una lista de las actividades que vas a realizar durante los siguientes tres meses. Esto te hará ver como una persona organizada, aunque no lo seas. En nuestro ministerio, este calendario es de mucha ayuda. Puede ser algo sencillo como una hoja de tamaño carta, doblada en dos, con tres listas (una por mes) de actividades les comunica a los padres que soy una persona organizada. Además, les hace ver que deseo que ellos estén bien informados de todo lo que hacemos. Tanto la carta como el calendario pueden incluir peticiones de oración y necesidades diversas del ministerio juvenil.

Te sorprenderás al ver lo que sucederá en tu ministerio si además de ministrar a los jóvenes, ministras a los padres. En nuestro ministerio juvenil hemos tenido muchos retos y en algunas de estas ocasiones hemos necesitado recursos financieros y otras clases de ayudas como un lugar para reunirnos, transporte, etc. En la mayoría de estas ocasiones los padres nos ayudaron. Es importante recordarte que junto a los padres formamos un equipo poderoso para ayudar a sus hijos. Juntos podemos guiar mejor a los chicos y alcanzar más jóvenes con el evangelio. Recuerda que muchos padres solo están esperando la invitación del líder para participar en el ministerio. Creo que en este punto es apropiado mencionar una precaución: No hay duda de que en nuestros ministerios existirán padres más necesitados de atención que los mismos chicos. No dejes que la demanda de atención te distraiga de tu responsabilidad para ministrarles a los jóvenes. Un líder juvenil estratégico orará para que Dios le dé la sabiduría para tener un ministerio eficiente con los jóvenes y con los padres de ellos.

Ministerio relacional con un equipo

ES INDISPENSABLE TENER UN EQUIPO DE MINISTROS QUE INCLUYA MUJERES QUE ENTIENDAN A LAS MUJERES.

No creo necesario tener que convencerte de que el ministerio juvenil no es trabajo para un llanero solitario, si es que realmente queremos tener un ministerio juvenil eficaz. La frase ministerio juvenil eficaz demanda un equipo. ¿No te parece que ya basta de seguir la tradición de nuestras iglesias y pensar más allá de la famosa «directiva juvenil»? Los jóvenes no necesitan que un grupo de personas elegidas «democráticamente» los administren. Los jóvenes necesitan que los pastoreen, dirijan, alimenten y desafíen para vivir vidas radicales para nuestro Dios. Ya basta de política en la iglesia. Es hora de cambiar algunas cosas. Tal vez tú me digas lo que me han dicho muchísimos líderes en toda América Latina… «mi pastor no me apoya». Esto no es nuevo, pero en la siguiente sección tocaremos el tema Ministerio relacional con los líderes (el pastor).

Hace varios años había un programa de televisión que debía ser humorístico, aunque en realidad no era muy humorístico que digamos. Esto explica la razón por la cual el programa no continuó. Dicho programa tenía un personaje llamado «Mil usos». Este comediante hacía lo que fuera necesario hacer. Limpiaba, arreglaba, cocinaba, aconsejaba y todo lo demás que terminara en «aba». El uso del término «mil usos» se ha trasladado a la iglesia aunque no tenga nada de bíblico. Cuántos líderes conocidos llevan el título de «mil usos» porque otros se lo pusieron o porque ellos lo escogieron. Por supuesto, es más fácil hacer yo las cosas que aprender el proceso de delegar y compartir el ministerio con otros.

Uno de los propósitos del equipo es que podamos delegar en ellos las responsabilidades que nos ayudarán a alcanzar a la mayor cantidad de jóvenes. Espero que ya hayas notado que existen ciertas clases de jóvenes en tu grupo que son más afines contigo que otros. En mi caso, los deportistas son los que más cómodos se sienten conmigo. En el caso de los estudiosos de cualquier materia o sobre computación no encuentran en mí mucha afinidad. ¿Cómo pienso alcanzar a estos jóvenes si no tengo un equipo de personas que me ayuden? Necesito en mi equipo alguien que pueda relacionarse con los estudiosos y computarizados.

Muchas veces me he visto en situaciones que realmente no sé cómo resolverlas. En el grupo había una chica que tenía complejos muy serios y se notaban en su forma de actuar con los demás. En un campamento ella me buscó e inició una conversación que en mi opinión debía ser con una mujer líder y no con un líder hombre. Pronto tomé la iniciativa de buscar a una de las líderes mujeres para pedirle que me ayudara con aquella chica. Si te contara toda su historia sabrías que era indispensable tener un equipo de ministros que incluyera mujeres que entienden a las mujeres. También existe la necesidad de músicos que entiendan a los músicos, deportistas que entiendan a los deportistas, artistas que entiendan a los artistas, estudiosos que entiendan a los estudiosos, personas calladas que entiendan a las personas calladas. Seguramente puedes ver que mientras más grande sea mi equipo de ministerio, más jóvenes se alcanzarán. Mi círculo de influencia se aumenta con la calidad y cantidad de líderes que tengo trabajando conmigo.

Todavía queda la pregunta clave: ¿Cómo puedo crear un equipo de personas voluntarias que deseen ayudarme en el ministerio juvenil? No quiero tocar el tema que ya se describe parcialmente en el libro *El ministerio juvenil dinámico* también de Unilit. Pero sí deseo mencionar algunos principios sencillos que te puedan ayudar a desarrollar un equipo de ministerio.

1. Reconoce la necesidad de tener un equipo. En este libro no tendría suficiente espacio para darte y describirte todas las razones por la cuales es importante tener un equipo. Lo único que voy a decirte es que no podrás tener un ministerio

efectivo con jóvenes y realmente impactar un grupo grande de chicos, si no tienes un equipo de voluntarios que te ayuden.

2. Escribe una lista de responsabilidades. Esta lista servirá de guía a todo aquel que pudiera considerar convertirse en un voluntario de tu equipo de ministerio. Entre las responsabilidades podrías escribir ideas como estas:

   a. Cada miembro del equipo debe involucrarse en todas las actividades semanales del grupo, especialmente las células y/o discipulados.

   b. Cada miembro del equipo debe actuar como un ejemplo vivo evidenciando la obra de Jesucristo en su vida. Debe ser un siervo.

   c. Cada miembro del equipo debe apoyar a la iglesia en sus actividades, asistiendo y, si es posible, involucrándose directamente.

   d. Cada miembro del equipo debe asistir a las reuniones o sesiones del equipo.

   e. Cada miembro del equipo debe tener la disciplina de estudiar la Palabra, orar y testificar.

Definitivamente no queremos cargar a los voluntarios con una cantidad de responsabilidades no realistas. Esta lista es solamente una idea de las responsabilidades que cada miembro del equipo debe de entender.

3. Ora constantemente por las personas que consideres aptas para formar tu equipo. En el proceso de orar es importante mantener los ojos bien abiertos. Busca personas enseñables, dispuestas, disponibles y que muestren evidencias de amar a los jóvenes. Nunca te pares delante de la congregación a rogarles a los hermanos que se unan al equipo de ministerio juvenil. En más de una ocasión escuché la triste historia de personas que respondieron a un llamado de

urgencia desde el púlpito y eran personas más necesitadas que los mismos jóvenes. Reclutar personas en el equipo de ministerio no debe parecer un reclutamiento desesperado, sino un reclutamiento BIEN orado.

4. Después de un buen tiempo observando y orando, acércate a la persona o personas e invítalas a participar contigo en el ministerio juvenil. Anímalas diciéndoles que no estás buscando expertos, sino personas enseñables, disponibles, dispuestas y que amen a los jóvenes. En el negocio de las ventas te dicen que de cada diez personas que trates de convencer para comprar algo, solo dos responderán positivamente. En el ministerio este porcentaje es muy parecido aunque en nuestro caso contamos con el Espíritu Santo que estará convenciendo. No esperes que respondan inmediatamente a la invitación. Dales cierto tiempo para orar y pensar. En algunas situaciones a lo mejor vas a tener que escuchar un «por ahora, no». Si ves cierto interés pero por falta de conocimiento o entrenamiento la persona o personas dicen que no, no descartes la posibilidad de que en unos cuantos meses cambie de opinión. Con ciertas personas la insistencia y constancia serán clave para ayudarlas a decidir.

En uno de los ministerios juveniles en los que servimos mi esposa y yo, recuerdo el día cuando ella se me acercó para decirme que en nuestra iglesia había una chica profesional que sería excelente para ayudarnos con las chicas. Al principio me costaba ver a esta joven profesional trabajando con las chicas. Me parecía demasiado formal, «profesional» para las chicas de nuestro ministerio, pero mi esposa insistió. La joven rechazó las primeras invitaciones que le hicimos porque no se sentía capaz de trabajar con las chicas, así que la invitamos a venir a varias actividades hasta que su corazón se empezó a involucrar en el trabajo. Para no hacerte la historia muy larga solo te diré que en pocos meses esta joven profesional se involucró en el equipo de ministerio y hoy es una de las personas

SI QUIERES NADAR EN CONTRA DE LA CORRIENTE, NO TRATES DE MEJORAR LAS RELACIONES CON TU PASTOR.

más eficientes que conozco preparando a otros para el liderazgo y amando a las jovencitas.

5. En tu búsqueda de un equipo para el ministerio no descartes la posibilidad de buscar en lugares fuera de la iglesia. Es posible que hayan instituciones de estudio cristiano (seminarios, institutos, centros de preparación, ministerios internacionales, etc.) que son un semillero para la búsqueda.

No hay duda de que este proceso me emociona. Toma tiempo y energía, pero vale la pena ver cómo poco a poco Dios te ayuda a ir formando un poderoso equipo que llegará a ser un instrumento formidable para alcanzar jóvenes.

Ministerio relacional con los líderes *(El Pastor)*

Este debe ser uno de los retos más grandes del ministerio juvenil. No son cientos, sino miles de líderes juveniles los que se quejan de situaciones que tienen que ver con las malas relaciones con sus líderes, específicamente con los pastores. Sin duda alguna, esta situación no tiene que ser así. Existen arreglos prácticos que podemos hacer para tratar de tener buenas relaciones con nuestros líderes.

Muchos de los proyectos que llevamos a cabo en nuestro ministerio juvenil, requieren todo el apoyo y la ayuda de la iglesia completa y, por lo tanto, es indispensable tener credibilidad y confianza entre los líderes juveniles y el resto de los líderes de la iglesia. Una de las tácticas que más me ha funcionado es la de invitar a mis líderes a comer. Una vez al mes comemos con mi pastor y periódicamente trato de hacer tiempo para salir a comer con el resto de los pastores de mi iglesia. Nadie dijo que cultivar relaciones era económico.

Tengo que ser honesto y confesar que he logrado confirmar que muchos pastores realmente desean tener buenas relaciones con sus líderes juveniles, pero la verdad es que muchos de ellos no saben cómo empezar. No creo que sea mala idea que seamos nosotros quienes iniciemos la amistad. Conozco muy pocos pastores que no acepten una invitación a comer a una casa y que no acepten sentarse contigo a orar o a platicar del ministerio. No trates de pedir permiso para hacer nada. Solamente reúnete con tu pastor o líder para orar por él o afirmarlo. Adapta algunas de las ideas anteriores para desarrollar relaciones con tus líderes. Créeme, si tienes una buena relación con tus líderes, será mucho más fácil venderles una idea.

¿Cuándo fue la última vez que le pediste las notas de la predicación a tu pastor? ¿Cuándo fue la última vez que le pediste a tus chicos tomar nota del mensaje del pastor? ¿Cuándo fue la última vez que le mandaste una pequeña nota a tu pastor agradeciéndole su ministerio? ¿Cuándo fue la última vez que el ministerio juvenil en tu iglesia organizó un programa especial para honrar a los líderes de la iglesia? ¿Cuándo fue la última vez que te sentaste a pensar seriamente en todas las cosas que se logran si mantienes buenas relaciones con tu pastor (líderes)?

Un amigo me la puso bien fácil: «Si quieres nadar en contra de la corriente, no trates de mejorar las relaciones con tu pastor. Si quieres navegar en un barco que tenga motores de alta potencia, esfuérzate en ganarte la amistad y confianza de tu pastor o líderes.» Nadie dijo que sería fácil, ni tampoco que sea posible ganar a todos como amigos. Si este es el caso de tu iglesia y te ves en un dilema sin esperanzas tratando de construir buenas relaciones con tus líderes, la pregunta es: ¿Vale la pena quedarse en esa iglesia si no logras hacer algo importante con los jóvenes debido a que los líderes son un estorbo para lo que Dios desea hacer? Recuerda que Dios te llamó a serle fiel a él, no a ningún grupo. No estoy en contra de someternos a las autoridades, pero sí estoy en contra de estar en un lugar donde se frena la obra de Dios debido a la inmadurez y falta de visión de un grupo de caciques o burgueses que estorban con sus títulos y posiciones religiosas. No olvides que es Dios quien le da validez a alguien como pastor y le permite ejercer la autoridad. Si esta persona está en contra de los planes de Dios, pierde su credibilidad. Dios no está a favor de nadie que no desea apoyarte en algo de lo cual tú estés seguro que es la voluntad de Dios. Espero que nadie vaya a mal interpretar lo que escribí en esta sección. La única motivación de escribirlo es que conozco personas tan impersonales, necias e inmaduras que llevan el título de pastores dentro de la iglesia cuando en realidad, esto es lo último que realmente son.

No recuerdo ninguna persona que luego de desarrollar buenas relaciones con los líderes de su iglesia, no se le permitiera realizar el ministerio juvenil con libertad y apoyo incondicional. Recuerda que una de las verdades más poderosas en el proceso de desarrollar relaciones saludables es el servicio. Es mi deseo y oración que durante todo nuestro ministerio nos conozcan a los líderes, como personas que servimos y nos damos con dedicación al conocimiento de Dios y a Su servicio.

Capítulo cuatro

LA PROGRAMACIÓN

MINISTERIO MÁS ALLÁ
DE LAS CUATRO PAREDES DE LA IGLESIA

La programación no es la clave del ministerio juvenil. Conozco ministerios juveniles que se enfocan en los programas y no en las personas. El programa es efectivo solo cuando el Espíritu Santo decide usarlo. El ministerio realmente son los individuos. El ministerio juvenil está formado por líderes y jóvenes edificándose mutuamente. El programa que utilices en tu ministerio debe ser coherente con la filosofía de ministerio, y por supuesto la filosofía debe ser coherente con la misión de tu iglesia. El programa se divide en dos categorías distintas: semanal y periódica. El programa semanal podría incluir las actividades de los domingos como son las Excelencias bíblicas, reuniones del discipulado, reuniones de oración y estudios bíblicos. El programa periódico podría incluir: campamentos, avances, actividades evangelísticas y proyectos con diferente énfasis. A continuación te describo algunas actividades que un ministerio juvenil puede implementar en su programación. Recuerda que el énfasis de esta programación es permitirles a los jóvenes ver el mundo como Jesús lo ve. Esto quiere decir que la mayoría de estas actividades se desarrollan fuera de la iglesia porque no es bueno que los jóvenes se acostumbren a solamente estar dentro de las cuatro paredes. Es indispensable brindarles oportunidades en las que se expongan a la realidad de nuestras sociedades.

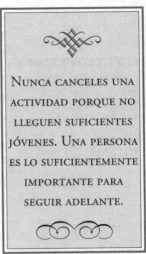

NUNCA CANCELES UNA ACTIVIDAD PORQUE NO LLEGUEN SUFICIENTES JÓVENES. UNA PERSONA ES LO SUFICIENTEMENTE IMPORTANTE PARA SEGUIR ADELANTE.

Uno de nuestros primeros proyectos fuera de la iglesia fue pintar la casa de una viuda. Cancelamos la tradicional reunión de los jóvenes del sábado por la tarde y la convertimos en un proyecto de servicio. ¿Cuántos jóvenes crees que participaron en nuestro primer proyecto de servicio? Una chica: Mi prima. Mi esposa, mi prima y yo fuimos y pintamos la casa de la viuda. (Nunca canceles una actividad porque no lleguen suficientes jóvenes. Una persona es lo suficientemente importante para seguir adelante. ¿Recuerdas al pastor que dejó a las noventa y nueve ovejas para ir a buscar a la única que se había extraviado?) Cuando terminamos de pintar, la viuda estaba tan agradecida que su rostro resplandecía de alegría. Esto impactó tanto a la chica que participó que luego se convirtió en la mejor promoción para el siguiente proyecto de servicio.

De nuevo volvimos a cancelar la reunión tradicional del sábado por la tarde y la sustituimos con un proyecto de servicio al basurero. La idea fue ayudar a las personas que viven en el basurero a encontrar su cena. (En mi país hay un basurero municipal en donde viven miles de familias muy pobres que comen de los desperdicios de los demás.) ¿Cuántos jóvenes crees que participaron? Tres chicos participaron. Mi prima, su amiga y un chico a quien le gustaba la amiga de mi prima. ¿Sabes? Era esa clase de chicos que visten bien, huelen bien y creen que son mejores que Dios. Cada chico recibió una bolsa de plástico y se les dio instrucciones para que escogieran a un niño pobre y lo ayudaran a encontrar su próxima comida. Decidí enfocar mi atención en aquel chico que creía que Dios, al crearlo, se había hecho un favor. Empezó la empresa con sus lentes obscuros y su chaqueta de cuero. Pronto su rostro cambió la expresión de orgullo por la de sorpresa, y de sorpresa cambió a compasión. Se quitó sus lentes obscuros y su chaqueta de cuero y me la trajo para él poderse inclinar y ver al niño en los ojos. Llegó la hora de irnos y aquel chico no quería irse sin el niño. El muchacho que empezó con indiferencia ahora quería llevarse a este niño a su casa para darle una comida decente. Poco a poco la vida de este chico y la vida de muchos de los jóvenes en los diferentes ministerios juveniles en los que he servido, han sido impactadas por las experiencias que vivieron fuera de las cuatro paredes de la iglesia. Recuerda que la mayor parte del tiempo que Jesús invirtió con sus discípulos no fue en la sinagoga sino en la calle, en la playa, en el mercado, en el campo, en las montañas y los demás lugares que visitaron.

Excelencias bíblicas

Este es el nombre que le dimos al estudio bíblico de los domingos. (Lo que comúnmente se conoce en algunos lugares como Escuela Dominical.) Nunca me gustó la idea de «escuela». Así que asignamos el nombre de Excelencias Bíblicas a la reunión de los domingos por la mañana. El propósito de este tiempo es edificar a los asistentes. Esta reunión no pretende ser un tiempo aburrido, sino dinámico. Se inicia con un tiempo de alabanza y adoración que dirigen los jóvenes. Seguido de la alabanza y la adoración se invita a los jóvenes a saludarse y conocer a los visitantes. Siempre hay un tiempo de anuncios para informarles a los jóvenes acerca de las próximas actividades. Luego del momento relacional seguimos con otro tiempo de adoración que prepara a los jóvenes para escuchar la Palabra de Dios. Vale la pena mencionar que todo esto lo hacen los jóvenes. Inmediatamente después de este tiempo se presenta un momento de oración que precederá al expositor de la Palabra, quien brinda un tiempo de enseñanza y reflexión después de que el grupo de jóvenes se divide por edades. Los adolescentes de 11 a 15 años, los jóvenes de 16 a 19 años y los jóvenes adultos de 20 a 25 años. Estos grupos tienen el único propósito de alcanzar a los chicos de una forma más sensible a sus necesidades particulares según las edades. La enseñanza del domingo por la mañana se enfoca en la edificación de los jóvenes cristianos.

Estudios bíblicos (Células)

El formato que se utiliza para los estudios bíblicos o células es similar al de Excelencias Bíblicas. La diferencia se encuentra en el enfoque de la enseñanza y la programación. Las células son claves para el crecimiento del ministerio juvenil. (Nuestro sitio en el Internet tiene un manual de células que puedes obtener gratis en www.liderazgojuvenil.com.) La reunión de Excelencias Bíblicas los domingos por la mañana, es mayormente un tiempo para alimentar a las ovejas. Los estudios bíblicos o células tienden a ser un poco más evangelísticos. Este también es un tiempo en el cual los estudiantes tienen la oportunidad de confraternizar con sus amigos después o antes de estudiar la Palabra. Estos estudios bíblicos o células se llevan a cabo en los hogares de los chicos. Estas células tienen que reproducirse o deben cerrar. Toda célula saludable se multiplica. Toda célula que no se reproduce muere. Tengo que agregar que las células pueden ser de hombres y mujeres a diferencia de los grupos de discipulado.

Discipulado

Los nombres que utilizamos para las reuniones de discipulado son: Reto (Retándonos Espiritualmente haciendo Todo para la gloria de Dios Orando unos por otros) y Vida (Vivir Intensamente Dándole la gloria A Dios en todo.) Estas son reuniones semanales y con grupos pequeños, de 2 a 10 jóvenes. El compromiso en este nivel es bastante fuerte para los líderes. ¡La constancia es un deber! Es en los discipulados que podemos esperar mayor crecimiento espiritual de parte de los chicos. Para respetar el nivel de intimidad y libertad de los comentarios que se hacen en estos grupos, aconsejamos formar los grupos separados de acuerdo con el sexo de los jóvenes. Cada grupo de discipulado es muy unido y el líder busca, junto con los chicos, invertir tiempo en diversas actividades fuera de la iglesia para de esta manera lograr una mejor relación de líder-jóvenes. Cada líder que tiene un grupo de discipulado es responsable de los jóvenes de su grupo. El líder debe asegurarse de satisfacer, hasta donde sea posible, las necesidades de los chicos/as. Es un compromiso que se concentra en las personas y no en un programa.

El programa de los domingos por la mañana y los estudios bíblicos en las casas son nuestras reuniones más grandes. La enseñanza viene directamente de la Palabra de Dios y el fin es nutrir a los asistentes. Sin embargo, se descuidan muchas de las necesidades individuales en un grupo grande como son las reuniones del domingo. La enseñanza puede tornarse poco interesante o irrelevante para el joven que está pasando por alguna crisis o problema. A veces, es posible que las cosas básicas acerca del cristianismo se pasen por alto en alguna plática de domingo o de estudio bíblico y es por eso que las reuniones del discipulado son tan importantes para contestar preguntas, aplicar la Palabra a la vida diaria de los jóvenes y construir amistades positivas.

Creemos que el discipulado es clave en el ministerio. Es una prioridad, ya que si los individuos se alimentan y exhortan durante el discipulado, sus raíces crecerán más fuertes y profundas. Mientras más fuertes sean las relaciones de los grupos pequeños, mayores serán los frutos que obtendremos. A la luz de los retos que se aproximan en este nuevo siglo, los jóvenes deben estar preparados para impactar al mundo sin nosotros. Eso es el discipulado. Jesús no solo usó el método de la suma, sino el de la multiplicación a través del discipulado. Una de mis actividades favoritas en el ministerio juvenil son estas reuniones del discipulado.

En cierta ocasión me llamaron de una escuela para misioneros porque no sabían qué hacer con un grupo de chicos inquietos. Eran buenos deportistas pero sus actitudes para con Dios y el cristianismo no eran muy buenas. La esperanza de esta institución era que yo hiciera algo para ayudarlos, a ellos y a los chicos indiferentes. En este caso, el canal de acceso a la vida de estos jóvenes fue el baloncesto. A todos ellos les gustaba jugar y así comencé a relacionarme con ellos, en la cancha. Jugábamos todos los domingos durante una hora. Éramos cinco chicos y yo. Nunca mencioné un estudio bíblico, ni tampoco los presioné para que cambiaran sus actitudes. Solamente me dediqué a relacionarme bien con ellos. Después de tres meses, jugando todos los domingos, uno de estos chicos me preguntó por qué no les daba un estudio bíblico, si yo era pastor de jóvenes. Ese domingo empezamos la reunión jugando baloncesto y luego nos sentamos a estudiar la Biblia juntos. El grupo pronto creció, de 5 chicos a 7 y luego a 10 y cuando llegamos a 12 el grupo se dividió. Dos, de los primeros cinco chicos, tomaron la dirección de cada uno de los grupos. Al final de aquel año, estos muchachos eran conocidos por amar al Señor y servir de ejemplo. Hasta el día de hoy, después de más de diez años, conservo una gran amistad con aquellos chicos que no querían saber nada de Dios. Cuatro de ellos son pastores de jóvenes y otro es misionero.

El discipulado podría entenderse como un proceso mediante el cual yo transfiero a otros lo que Cristo ha hecho en mi vida a través de una estrecha relación con Él. Uno de los mejores libros respecto al discipulado es *El plan maestro de evangelización* por Robert Coleman. Este hombre fue uno de mis maestros en la universidad y siempre modeló el discipulado. Todas las semanas se reunía para estrechar las relaciones con un grupo selecto de estudiantes y juntos estudiaban la Palabra de Dios. El discipulado impactará tu ministerio, iglesia, ciudad y país. No hay nada mejor que un ministerio juvenil discipulador.

El discipulado, tanto como el resto de las actividades, tiene ciertas implicaciones para nuestra vida como líderes.

1. Como líderes debemos estar comprometidos y ser constantes en el estudio de la Palabra, orar y testificarles a otros de Jesucristo. Fieles a nuestro llamado de «ir en pos de Jesús» (Marcos 1:16-18).

2. Debemos animar a otras personas para que hagan del discipulado una prioridad en sus vidas.
3. Debemos preparar líderes para el discipulado.
4. El discipulado es fundamental en cualquier ministerio que desea obedecer a Dios e impactar a las naciones (Mateo 28:16-final)

Campamentos

Los campamentos son parte importante de nuestra filosofía de ministerio. Ofrece a los jóvenes la oportunidad de romper la presión que enfrentan día a día y responder a la obra de Dios. Existe mucha preparación para llevar acabo un campamento. El libro *El ministerio juvenil dinámico* (de Unilit) explica más detalladamente la filosofía de un campamento y todo lo referente a su organización. También puedes averiguar si en tu país existen oficinas de CCI (Campamentos Cristianos Internacionales.) Este ministerio puede darte un sinnúmero de recursos valiosos escritos para el ministerio de los campamentos. Organizar dos campamentos al año, no es mucho. Aunque también puedes organizar uno al año, pero en ese caso debe ser algo inolvidable. No hay límites en cuanto a lo que puede suceder en la vida de los jóvenes durante un campamento. Soy un fuerte creyente en los campamentos. Yo conocí a mi esposa en un campamento. ¡¡¡Que vivan lo campamentos!!!

Alcances

Los Alcances también forman una parte importante en nuestra filosofía ministerial. Alcanzar a los perdidos es una forma de glorificar a Dios y edificar a los demás. Jesús dijo que había venido a buscar y a salvar lo que se había perdido. Los *Alcances* tienen el fin de alcanzar a los jóvenes con el evangelio de Jesucristo. Los campamentos se pueden usar como *Alcances*, pero además de estos, queremos realizar diferentes *Alcances* con el propósito de llegar a ciertos grupos. Se planean actividades dinámicas para atraer a jóvenes no cristianos. Se invitan ciertos grupos musicales que también ayuden a alcanzar a los jóvenes no creyentes.

En estos programas de alcance se deben buscar formas nuevas y creativas para alcanzar a los no creyentes. Los *Alcances* tan solo son una avenida que permite a los líderes, y a los no líderes, invitar a los amigos no cristianos que de otra manera jamás entrarían a una iglesia. Esta participación, los jóvenes alcanzando jóvenes, les dará la oportunidad de experimentar el ministerio de primera mano. Aprenderán más acerca de la evangelización relacional. Permíteme explicarte lo que quiero decir con evangelización relacional.

A nuestro grupo juvenil llegó un chico muy indiferente que no le gustaba para nada la idea de venir a la iglesia. Su hermana mayor lo trajo con mucha dificultad. El domingo que lo conocí ni siquiera se quitó sus lentes oscuros para saludarme. Cuando lo saludé, enseguida noté que tenía una cadena de oro de la que le colgaban unas bolas de billar. Durante la reunión no puso la menor atención a lo que se decía, demostrando que tampoco le interesaba. Al finalizar la reunión le dije que cuando él quisiera le podía dar clases de billar. Quisiera que hubieras visto su cara cuando le dije que podía darle clases de billar. Se quitó los lentes oscuros y me dijo: «¿Tú me vas a dar clases?» A lo que le contesté: «¿Cuándo y dónde?» Acordamos vernos ese miércoles en la dirección que él me indicó y que, dicho sea de paso, no se consideraba un barrio muy bueno en la ciudad de Guatemala, pero ya me había comprometido. Allí me esperaban César y algunos de sus amigos de juego. Nunca en mi vida había jugado billar, pero al domingo siguiente había varios chicos visitándonos. César y sus amigos decidieron visitarme en mi territorio ya que yo estuve dispuesto a ir a su territorio. Esto no quiere decir que si el territorio de los chicos que deseo alcanzar está en la discoteca, yo tengo que ir a la discoteca. Existen ciertos lugares y ciertas actividades en las cuales puedo participar para edificar la credibilidad que necesito para predicarles el Evangelio. Jesús nos dio el ejemplo, Él dejó su gloria y habitó entre nosotros (Filipenses 1). La evangelización relacional solamente quiere decir que el evangelio penetra las vidas de otros a través de las buenas relaciones. Los *Alcances* proveen la oportunidad para traer a los amigos a un programa organizado por la iglesia en donde se predica el evangelio de forma que los jóvenes lo entiendan. Los conciertos, recitales, concentración de jóvenes, torneos deportivos, etc. son programas que los *Alcances* pueden usar.

Proyectos de servicio

Si nos basamos en Santiago 1:27: *La religión pura y sin mácula delante de Dios el Padre es esta: Visitar a los huérfanos y a las viudas en sus tribulaciones, y guardarse sin mancha del mundo;* y en otros pasajes bíblicos, es indispensable que incluyamos en nuestra filosofía de ministerio proyectos de servicio. Para que un joven conozca mejor a Jesucristo, tiene que ver el mundo como Jesús lo vio. Los proyectos de servicio son actividades que nos ayudarán a exponer a los jóvenes a un ambiente muy diferente a la comodidad de la casa o la iglesia. Parte del corazón de Jesús está dedicado a servir a los demás y estos proyectos brindan oportunidades para servir a otros de corazón y sin condiciones. Algunos de los proyectos podrían ser pintar la casa de una viuda, limpiar la calle frente a la iglesia, limpiar la iglesia, pintar la iglesia, limpiar el parque de la ciudad, cortar el césped de las personas adultas alrededor del vecindario de la iglesia y otros proyectos que pueden abrir muchas otras puertas.

Una vez planeamos un proyecto de servicio que consistía en ir a pintar una escuela de un barrio muy pobre de nuestra ciudad. Fue impresionante ver la cara de la directora cuando le comunicamos el plan y le pedimos permiso. La idea era pintar la escuela durante un fin de semana y tener una «nueva inauguración» con los padres de familia al siguiente fin de semana. Como resultado de este proyecto, la directora de la escuela aceptó a Cristo y muchos padres escucharon del amor de Jesús en una forma palpable.

No puedo describir el impacto tan grande que un servicio puede tener en la vida de los chicos y la comunidad a la cual servimos. Servir nunca debe ser un castigo. ¿Conoces lugares en los que limpiar, lavar, pintar, arreglar y demás cosas similares no sean vistas con buenos ojos? Jesucristo vino a servir. ¿Por qué no participar en un ministerio juvenil que tenga como uno de sus propósitos principales servir a los demás?

Los proyectos de servicio tienen una estructura parecida a los demás proyectos excepto que en el caso del proyecto de servicio se espera que tanto los jóvenes como los líderes trabajen duro hasta terminar. Para estos proyectos también se requiere mucha preparación. La enseñanza bíblica debe apoyar el proyecto de servicio para que los jóvenes tengan una idea de por qué sirven y la clase de actitud que deben mantener. El líder no está exento de involucrarse en el servicio. De hecho, los líderes somos los que debemos dar el ejemplo.

Proyectos ministeriales

Los proyectos ministeriales tienen el mismo plan que los proyectos de servicio, solo que aquí, el énfasis está en trabajar duro todo el tiempo con el propósito específico de ministrar en cierto programa o actividad. Por ejemplo, conferencias, talleres, aniversarios, bodas, quince años, etc... El fin de los proyectos ministeriales es que los jóvenes sirvan a través de sus dones y talentos. Esto, por supuesto, quiere decir que necesitarás conocer los dones y talentos de tus chicos para ayudarlos a ponerlos en práctica.

En un ministerio juvenil, al cual me invitaron a hablar, tenían una situación interesante porque todos querían tocar instrumentos y cantar. Nadie estaba interesado en encontrar sus dones espirituales, solamente les interesaban los talentos musicales. ¿Quién tenía la culpa de esta situación? No tardé mucho en descubrir que el líder juvenil era músico y todos los que tenían un poco de talento musical pasaban a formar parte del grupo «exclusivo de músicos». ¿Qué de los chicos o chicas con dones como fe, servicio, administración o el don de pastor-maestro?

No es justo que solo recalquemos los talentos de los chicos como tampoco está bien que solamente destaquemos los dones. Nuestros ministerios juveniles tienen que dar a los chicos la oportunidad de poner en práctica tanto sus dones como sus talentos. Los proyectos ministeriales proveen esta clase de ministerio fuera de las cuatro paredes de la iglesia. No digo que nada más practiquen sus dones y talentos cuando se hace un proyecto de ministerio. Todo el ministerio debe ofrecerles la oportunidad de crecer en esta área. Un proyecto ministerial da la oportunidad a los chicos de practicar sus dones y talentos en un contexto diferente al de la iglesia.

Proyectos misioneros

En estos proyectos el énfasis también está en trabajar fuertemente solo con el propósito de llevar el mensaje de Jesucristo a otro idioma y/o cultura. Esto significa que en algunas ocasiones el proyecto misionero se podrá hacer en otro país o bien en algún pueblo o aldea de la nación. Uno de los fines de estos proyectos es exponer a los jóvenes a las misiones, basándonos en Mateo 28:18-20. No tengo duda en mi mente ni en mi corazón de que Dios está levantando un ejército de jóvenes latinos que conquistarán el mundo para él. Pero, ¿cómo sabrán los chicos que Dios desea usarlos en las misiones mundiales si nosotros no les proveemos oportunidades para ver otras culturas e idiomas? ¿Cómo sabrán los chicos que Dios desea usarlos en otro país o lugar si no les damos la oportunidad de conocer esos lugares?

Hechos 1:8 dice:

> *Pero recibiréis poder, cuando haya venido sobre vosotros el Espíritu Santo, y me seréis testigos en Jerusalén, en toda Judea, en Samaria, y hasta lo último de la tierra.*

NUNCA FALTAN PERSONAS QUE TE DIGAN NO SE PUEDE.

La palabra «poder» es la palabra *dúnamis* de donde sacamos la palabra dinamita. Poder expansivo. Fíjate que además el versículo dice «y me seréis testigos en Jerusalén, en toda Judea», etc. El versículo no dice y me seréis testigos «primero» en Jerusalén, cuando terminen con Jerusalén entonces vayan a toda Judea y cuando terminen en Judea...

Gracias a Dios que en la historia de las misiones y el evangelio, los misioneros no pensaron como muchas personas que todavía creen que primero hay que terminar de alcanzar su ciudad para luego ir a otras partes. Dios nos dio tal poder que podemos alcanzar el mundo al mismo tiempo que estamos alcanzando a nuestra ciudad y país. Son los proyectos misioneros los que sembraron la semilla en el corazón de muchos de mis chicos para servir al Señor a tiempo completo. Además, los proyectos misioneros pueden convertirse en una combinación de varios proyectos.

Uno de nuestros primeros proyectos misioneros se realizó en México. Aproximadamente doce chicos jóvenes de mi iglesia se prepararon junto con mi esposa para llevar el evangelio a la ciudad de México. Nos comunicamos con varias iglesias que nos ayudaron a coordinar las actividades de servicio y de ministerio y que también coordinaron el transporte, hospedaje y comidas (aunque algunos chicos hubieran preferido no comer tan picante). Cada joven tuvo que reunir el dinero para ir. A cada uno le costó aproximadamente 800 dólares. Nunca faltan personas que te digan NO SE PUEDE. En cuestión de ocho meses todos los chicos tenían el dinero necesario. Lavamos carros, vendimos comida, nos vendimos como esclavos por un día, limpiamos casas, vendimos inversiones, pintamos, arreglamos, cambiamos, caminamos y todo lo demás que se pudo hacer para levantar fondos.

Dios proveyó. Este proyecto misionero impactó la vida de todos nuestros chicos. Hoy en día, aquel ministerio que iniciamos con mi esposa, continúa exponiendo a los jóvenes a las misiones cada año. Varios de estos chicos están sirviendo hoy en el campo misionero.

Avances

Avanzar hacia la meta: Crecer espiritualmente. Estas salidas tienen el propósito de edificar a los jóvenes ya creyentes fuera del ambiente cotidiano de estudios y trabajo. Además, proveen diversión y aventura. Estos *Avances* realmente son los famosos retiros que pueden servir también para alcanzar nuevos jóvenes, pero requieren mucha planificación y trabajo.

Uno de los *Avances* que recuerdo con más emoción fue el que hicimos de La Fe. Era solo para hombres y planear una actividad solamente para hombres nos dio la oportunidad de alcanzar a los chicos de una forma diferente. Las actividades que se planearon y programaron fueron mucho más retadoras y creativas que en otras ocasiones. Los *Avances* se pueden planear cuatro veces al año. Por supuesto, cada uno con diferente énfasis. Se puede planear un *Avance* solo para líderes o para adolescentes o solamente para jóvenes y otro solo para jóvenes adultos. Estos programas realmente dan mucha libertad para la creatividad.

Actividades especiales

Estas actividades también son importantes en nuestra filosofía de ministerio porque nos ayudan a desarrollar las áreas físicas, intelectuales, sociales y emocionales de los jóvenes. Algunas de estas actividades se dedican a informar a la congregación o a los padres de familia acerca de nuestra filosofía de ministerio. Las cenas para padres entran dentro de esta categoría. Para desarrollarlas con éxito estas actividades requieren mucha planificación y colaboración de todo el equipo de líderes. Entre las actividades puedes incluir días deportivos, días festivos, días de celebración, días de descubrimiento, días de estudio o actividades de medio día. Sería bueno que le des una mirada al sitio de la Internet llamado www.lideresjuveniles.com. Allí encontrarás ideas para actividades y muchos recursos más para el ministerio juvenil.

Finanzas

Lo ideal es recibir alguna especie de presupuesto de parte de la iglesia. No estoy soñando, en algunas iglesias el ministerio juvenil tiene un presupuesto con el cual pueden contar. Pero no es común encontrar estas iglesias y por esa razón en esta sección queremos incluir algunas ideas para recaudar fondos en tu grupo juvenil. Es importante asegurarse de que cada gasto que se haga se convierta en ministerio. Siempre debemos pensar cómo utilizar ese dinero para alcanzar nuevas personas para Cristo y/o preparar nuevos líderes. En nuestro ministerio juvenil pretendemos autofinanciar toda actividad hasta donde sea posible.

- **Lavados de carros:** Los días de lavados de carro nos funcionan bien. A veces, en vez de cobrar hemos dejado que las personas nos den un donativo para el ministerio.
- **Venta de esclavos:** Nos ayuda mucho y funciona así: Los chicos que necesitan dinero o los que lo tienen pero desean ayudar a los que no lo tienen se apuntan en la lista de esclavos. Se le informa a la iglesia que cierto fin de semana van a poder comprar un esclavo por un día. Hemos tenido chicos y chicas que les tocó desde limpiar zapatos hasta pintar una casa. Todos reciben lo que costó su labor más una ofrenda voluntaria.
- **Postres:** Es otra actividad muy buena, pero se necesita la ayuda de las madres de la iglesia. En cierta ocasión les pedimos a las mujeres de la iglesia que donaran un postre al ministerio juvenil y se vendieron a muy buen precio.
- **Certificados de inversión** también los hemos utilizado. Simplemente imprimimos certificados de inversión en una

computadora y se les explica que lo que están haciendo es una especie de compras de acciones en el cielo. Se les presenta con diferentes precios de inversiones. Las personas pueden comprar inversiones de 10, 20, 50 y hasta 100 billetes. En cierta ocasión una persona nos compró diez inversiones de cien billetes. Son increíbles las cosas que suceden cuando utilizamos la creatividad y sabemos compartir la visión con aquellos que desean ayudar. Recuerda que los padres de familia pueden convertirse en nuestra fuente de recursos más valiosa. Tampoco debemos excluir a otras personas.

Déjame recordarte que este capítulo solamente menciona a largos rasgos algunas actividades que pueden formar tu programación. Hoy existen muchos ministerios juveniles que tal vez no tengan ninguna de estas actividades y sin embargo, son muy buenos para alcanzar a los jóvenes. Lo más importante en un ministerio juvenil no son las actividades, ni los programas, sino las personas. Por favor no te atrevas a organizar alguna de estas actividades para levantar fondos sin el permiso previo de tus líderes. Trata lo más que puedas de involucrar a tus líderes en el proceso para que se sientan parte del proceso. Recuerda que lo más importante son las relaciones.

Capítulo cinco

UN VISTAZO A LA CULTURA JUVENIL

Sería imposible describir todo lo que está sucediendo en la cultura juvenil actual. Es una cultura muy variable. Hasta es un tanto riesgoso decirle a un joven «te entiendo porque yo también fui joven». Estoy seguro que, de jóvenes, muchos de nosotros pasamos situaciones que nos permiten entender a los jóvenes de hoy... hasta cierto punto. Digo hasta cierto punto porque aunque en algún momento de nuestra vida tuvimos la misma edad que ellos, la cultura juvenil está en constante transformación. Es muy difícil ser un líder juvenil apropiado, si no entendemos la importancia de conocer bien la cultura juvenil. Saber lo que está sucediendo en esta cultura debiera ser parte de nuestras responsabilidades principales. Investigar, averiguar, indagar, observar, es clave. Todo líder debe convertirse en un experto en la cultura juvenil.

El contenido de este capítulo tiene dos propósitos principales. Uno es el propósito de la prevención. Ojalá esto fuera cierto para todos nuestros países, pero la realidad es que para muchos de nuestros países latinos esto ya no es posible. Josh McDowell dice en su libro *La Nueva Tolerancia* que la realidad cultural juvenil se puede generalizar hasta en noventa por ciento de las culturas en todo el mundo. Esto quiere decir que lo que está sucediendo en la cultura juvenil norteamericana es cierto en el noventa por ciento de las culturas alrededor del mundo. Como buen curioso e investigador que soy, decidí ponerlo a prueba. La realidad que te describo en este capítulo, no es solo la realidad de la cultura juvenil

LA CONTEXTUALIZACIÓN NO TIENE NADA QUE VER CON CAMBIAR EL MENSAJE, SINO QUE ES LA FORMA DE COMUNICAR EL MENSAJE.

norteamericana sino que también es así en la cultura latina. En cada país que visité este último año encontré, literalmente, a miles de jóvenes que confirmaron lo que describiré a continuación. En el caso de jóvenes universitarios y profesionales, este tema es especialmente apropiado. Es importante recordar que además del país, contexto o grupo que deseamos alcanzar, el trabajo preventivo o no preventivo es clave.

El otro propósito de este capítulo no tiene nada que ver con prevención sino con el reto que tenemos de transmitir el evangelio a una cultura tan anticristiana. La palabra técnica es "contextualizar" y suena muy dura, pero lo que realmente quiere decir es lo siguiente: La contextualización no tiene nada que ver con cambiar el mensaje, sino que es la forma de comunicar el mensaje en una forma apropiada y entendible para el receptor. Espero que el contenido de este capítulo te sirva para adaptar la forma de comunicarte con los jóvenes de manera que ellos te puedan entender.

Es mi deseo que al leer este capítulo tú puedas tomar pasos de prevención, si estos son adecuados a tu contexto o que puedas crecer en tu conocimiento de lo que está sucediendo en nuestra cultura latinoamericana entre los jóvenes para alcanzarlos más eficientemente.

Josh McDowell le llama «Crisis cultural». Esta crisis se describe de la siguiente forma: Hace diez años solamente existía la diferencia generacional entre padres e hijos o entre líderes y jóvenes. Esta diferencia generacional la determinaba la diferencia de edad. En otras palabras, si hace diez años yo hubiera tenido treinta y dos años de edad y mi hijo André hubiera tenido seis años de edad, solamente existía una diferencia generacional o la diferencia de edad. Pero hoy en día, además de esta diferencia generacional, existe la diferencia lingüística o por utilizar términos más generales una diferencia cultural. Esto quiere decir que tanto los adultos como los jóvenes están hablando el mismo idioma, pero las palabras han cambiado de significado. Antes de que digas que estoy loco déjame darte un ejemplo de la confusión que las definiciones de palabras pueden crear.

Mi esposa Wenona me dio permiso para escribir esta historia que es verídica. Mi esposa es de California y la conocí en Guatemala. Ella llegó a Guatemala para servir como maestra de inglés en un centro educativo muy respetado en mi país. En su primer fin de semana en Guatemala visitó una iglesia como de unos 500 miembros. El pastor pensó que sería buena idea pedirle a la misionera visitante que le diera un saludo a toda la iglesia ya que estaría sirviendo allí además de cumplir con sus otras responsabilidades como maestra de inglés. Wenona no sabía mucho español, es decir, no sabía español, punto. (Ahora mi esposa habla muy bien el español después de vivir varios años conmigo en América Latina.) Aquella misionera, que ahora es mi esposa, no sabía qué decir y pensó que les diría que estaba un poco apenada o sentía un poco de vergüenza. Pensó en inglés y dijo: «Les diré que tengo vergüenza.» Pero en inglés vergüenza es «embarrass» que en español no se parece en nada a vergüenza sino que suena como embarazada… embarrass… embarazada. Ya tenía todo listo. Le diría a la congregación que estaba (embarrass=apenada) embarazada. El pastor pasó al frente de toda la congregación y dijo que esa mañana había una misionera que tenía algo que decirles. Así que, la que ahora es mi linda esposa, pasó al frente de toda la congregación y dijo: «Estoy embarazada… y es culpa del pastor… porque él me pidió que pasara al frente…» No te miento… nunca había visto a ese pastor moverse tan rápido como aquel día. Rápidamente el pastor aclaró la situación y aquello pasó a la historia. Sin duda alguna la definición de las palabras es muy importante. De hecho, si tuviéramos que planear un plan malévolo que confundiera a las personas y las desorientara creo que el cambiarle la definición a las palabras sería un excelente plan. Satanás ha estado trabajando en este plan durante muchos años.

La palabra amor

El otro día iba caminando por una calle de una ciudad importante y leí un rótulo que me dejó con la boca abierta. El rótulo decía: «Se alquilan anillos de matrimonio». ¿Leíste bien?... «Se alquilan anillos de matrimonio». Inmediatamente pensé entrar en la tienda y pedirle al encargado que me dejara ver el libro de pastores y/o sacerdotes. (El librito que utilizan los pastores y sacerdotes para planear las ceremonias.) En ese librito hay una sección para las ceremonias de bodas. Recuerdo muy bien que cuando yo me casé, antes de sellar nuestro compromiso con un beso, tuvimos que repetir los votos matrimoniales. El último voto siempre ha sido y fue «hasta que la muerte nos separe». En aquel nuevo librito el último voto ya no existía. El nuevo voto con el cual se reemplazó «hasta que la muerte nos separe», dice así: «hasta que el amor se acabe». Esto quiere decir que cuando tú ya no *sientas* nada por la otra persona, simplemente devuelves el anillo alquilado. Aunque no lo creas, el contrato de arrendamiento de los anillos tenía estas opciones: un mes, tres meses y el compromiso máximo para alquilarlo era durante cinco años. La definición de amor se ha reducido hoy a tres cosas básicas:

1. Amor = Un sentimiento.

   En la iglesia actual hay personas que creen que el amor es solo un sentimiento. Sin duda alguna que el amor afecta nuestros sentimientos, pero algo tan importante como es el amor no se puede reducir a un sentimiento. Sin embargo, la mayoría de las personas no podrían definirlo de manera diferente a un sentimiento. Otros dirían que Dios es amor. Esto es cierto, pero esta verdad no define el amor, solamente nos dice quién es amor, pero no explica ¿qué es el amor? Por otra parte, algunas personas dirían que 1 Corintios 13 nos da la definición del amor. No hay duda alguna de que 1 Corintios 13 habla del amor, pero este pasaje nos dice lo que el amor «hace» no lo que el amor «es». En cierta ocasión le pedimos a 5,000 chicos cristianos que nos definieran el amor. ¿Sabes cuántas definiciones diferentes nos dieron? Como 5,000. Si no sé qué es el amor, ¿cómo sé que amo a alguien? ¿Cómo sé que alguien me ama? No lo sé. Otra definición de amor que se utiliza mucho y que posiblemente ha causado más dolor que cualquiera otra definición es la que sigue.

2. Amor = Sexo.

Este es definitivamente el mensaje que Hollywood y los cantantes populares y no tan populares están comunicando a nuestros jóvenes. En la actualidad, una gran cantidad de chicos usa esta idea para engañar a las chicas y tratarlas como objetos sexuales. «Si me amas tendrás relaciones sexuales conmigo» les dicen los chicos a las chicas. ¿Será posible que existan personas que realmente crean esto? Parece que sí. Si esto no fuera verdad... ¿por qué hoy, más que nunca, hay chicas que quedan embarazadas pensando que el amor era igual a tener relaciones sexuales con el chico? Aunque no toda la culpa es de los chicos, escucho más chicas quejándose de los chicos que chicos quejándose de las chicas. Es claro, en una situación en donde se juega con las relaciones por lo regular las dos personas involucradas tienen algo de culpa. Realmente el punto no es quién tiene la culpa o quién no la tiene. El punto es que las relaciones sexuales no definen el amor y sin embargo, muchos de los jóvenes de hoy dentro de la iglesia no saben qué es el amor. Otra definición que se utiliza mucho aunque no es cierta es la siguiente.

3. Amor = Enamoramiento.

A esta confusión la llamaré un malentendido, por no llamarle una herejía. Antes de meterme en este lío, déjame aclarar algo. Lo que estamos viendo aquí no es solamente semántica (utilización particular de palabras.) No nací ayer y sé que la mayoría de los cristianos que utilizan estas palabras como sinónimas realmente tienen intenciones correctas. Por desgracia, estas buenas intenciones no están ayudando a nuestros jóvenes a tomar buenas decisiones. Josh McDowell, junto con otros líderes juveniles muy respetados de todo el mundo, se reunieron para hacer un estudio acerca de por qué los jóvenes dejan sus iglesia al entrar a la universidad. Una de las conclusiones más reveladoras que surgió de este estudio fue que «hoy, los jóvenes cristianos están siguiendo a Jesús porque es lo mejor que se les ha presentado hasta ahora». El estudio reveló que desde el momento en que se les presente algo más atractivo, interesante o conveniente, los jóvenes sin convicciones seguirán la nueva opción. Esto suena a una relación de enamorados. La definición de enamoramiento de acuerdo con el diccionario es: Un encaprichamiento, una relación romántica y sensual.

¿Es eso lo que deseamos entre nuestros jóvenes y Dios? Si Satanás logra hacerles creer a los jóvenes que lo que está buscando son enamorados y no siervos obedientes, entonces estamos en serios problemas. ¿En dónde dice la Biblia que debemos enamorarnos de Dios? ¿Dónde dice «enamórate de tus enemigos»? ¿En dónde dice «hijos, enamórense de sus padres»? Muchas personas, tratando de defender el uso de la palabra enamoramiento como sinónimo de amor, me han dicho que igual que los esposos están enamorados, así también debe de ser la relación entre Cristo y la iglesia. Mejor vamos al pasaje y entendamos qué es amor.

> *Las casadas estén sujetas a sus propios maridos,...*
> *Maridos, amad a vuestras mujeres, así como Cristo*
> *amó a la iglesia, y se entregó a sí mismo por ella.*
>
> Efesios 5:22, 25

Toma nota de esto: En este pasaje no existe la palabra enamoramiento ni mucho menos la palabra sensual ni romántico. Si la esposa es la figura de la iglesia, entonces lo que Dios está buscando es obediencia y sujeción, no romanticismo ni conveniencia.

«¿Qué tiene de romántica la cruz?» A Madonna le hicieron esa pregunta y esto fue lo que contestó: «La cruz tiene hombres desnudos». La cruz no fue nada romántica. Dios está buscando obediencia y no caprichos, ni sensualismo ni romanticismo.

Otro argumento dice que no debemos olvidarnos de nuestro primer amor (Apocalipsis 2:4). Este pasaje no tiene nada que ver con estar enamorado. Cuando escuchamos «primer amor», enseguida pensamos en nuestra primera novia o novio. Y lo que realmente pide el pasaje son prioridades. El amor a Dios es el número uno. Lo primero en tu vida y en mi vida es amar a Dios con todo el corazón (Marcos 12:30). Vale la pena aclarar que el amor que debo tener para con Dios no se compara con el amor que debo tener para con los seres humanos. Déjame decirte que según la Biblia, la definición de amor para con otras personas se aplica a las tres clases de amor que conocemos como *ágape, eros* y *fileo*. La siguiente definición de amor no me la inventé yo, sino que la aprendí de Josh McDowell.

> *Así también los maridos deben amar a sus mujeres como a sus mismos cuerpos. El que ama a su mujer, a sí mismo se ama.*
>
> Efesios 5:28

Esto quiere decir que si un día viniera a mi casa algún pretendiente atrevido de mi hija, este chico tendrá que pasar una serie de exámenes muy minuciosos. Una de las primeras preguntas que me haré antes de dejarlo salir con mi hija será esta: ¿Este chico se ama a sí mismo? Porque según el pasaje si el chico no se ama, no puede amar a nadie más. La razón por la cual yo puedo amar a mi esposa es que yo me amo. Pero, ¿qué quiere decir amarse uno mismo? Me paro delante del espejo y digo: «¡Wow,

Dios realmente se pasó conmigo... miren qué guapo!» ¡NO! No es así. El versículo siguiente nos dice cómo amarme a mí mismo y esta es la definición de amor:

> *Porque nadie aborreció jamás a su propia carne, sino que la sustenta y la cuida, como también Cristo a la iglesia.*
>
> Efesios 5:29

La palabra *sino* introduce la definición de amor. Amor es sustentar y cuidar. ¿Qué quiere decir esto? Déjame explicártelo.

Sustentar quiere decir:
  Proveer todo los nutrientes necesarios para el crecimiento integral de la persona.

Cuidar quiere decir:
  Proteger de cualquier cosa que pueda dañar ese crecimiento integral.

En palabras bien sencillas amor es: Proveer y proteger. ¿Cómo se aplica esto a la vida de los jóvenes que estamos alcanzando? Si los chicos y las chicas saben qué es el amor, sabrán cómo amarse unos a otros y sabrán si otros los aman. Sin duda alguna las chicas en tu ministerio juvenil han escuchado la frase: «Si me amas, vas a tener relaciones sexuales conmigo.» Ahora bien, si la chica cristiana sabe que amor no es un sentimiento, ni tampoco relación sexual y mucho menos enamoramiento, entonces tendrá la fuerza para evaluar esa frase a la luz de la verdadera definición del amor. ¿Este chico me está protegiendo? ¿Provee para mis necesidades? Si el chico realmente ama a la chica, entonces mostrará su amor como está reflejado en:

> *El amor es sufrido, es benigno; el amor no tiene envidia, el amor no es jactancioso, no se envanece; no hace nada indebido,* no busca lo suyo, *no se irrita, no*

guarda rencor; no se goza de la injusticia, mas se goza
de la verdad. Todo lo sufre, todo lo cree, todo lo espera, *todo lo soporta. El amor nunca deja de ser.*

1 Corintios 13:4-8

Son muchos los chicos y las chicas que aún hoy creen que el
SIDA es la peor enfermedad que se transmite sexualmente.
Cuando yo tenía 16 años de edad, solamente existían dos enfermedades venéreas (transmitidas sexualmente) Sífilis y Gonorrea.
Las dos enfermedades se curan con una vacuna. ¿Saben tus jóvenes cuántas enfermedades venéreas hay hoy en día? Más de cuarenta y aproximadamente veinte de ellas son virus (esto quiere
decir que no tienen cura). La eficiencia para transmitir el virus
papiloma humano (VPH) es 300% más que el SIDA y se transmite por áreas que el condón no cubre. Si una chica de 16 años
tiene relaciones sexuales con un chico que solamente ha tenido
relaciones sexuales con dos chicas, esta chica de 16 años tiene
300% más de probabilidades de quedar infectada del VPH que
del SIDA. El VPH queda escondido en tu cuerpo de 10 a 13
años y tú ni siquiera sabes que lo tienes. En una universidad de
los Estados Unidos se hizo un estudio para el cual se examina-
ron a 3,000 chicas de 18 años de edad. ¿Sabes cuántas estaban
infectadas con el virus PH? El 52%. El VPH es una epidemia en
los Estados Unidos, aunque no se dice mucho al respecto porque el gobierno tiene la culpa. Fueron ellos los que empezaron a
repartir los condones y a promover la relación sexual segura. Ya
es hora de despertar y entender que la única relación sexual segura es la que Dios diseñó, es decir, la relación sexual dentro del
matrimonio fundado en un amor protector y proveedor. Les
han dicho a nuestros jóvenes que deben protegerse para tener
relaciones sexuales. Utilicen condones, les dicen. Solo falla 11%
de las veces. Esto quiere decir que una chica que tenga relaciones sexuales cien veces con un chico, si utiliza condones, solamente once de esas veces podría quedar embarazada. Lo que no
tomaron en cuenta es que la organización que sacó esos números

no incluyó en sus conclusiones a todas las chicas que quedaron embarazadas usando condones y que luego abortaron. Solamente incluyeron a las chicas que quedaron embarazadas usando los condones y tuvieron a sus hijos. Por lo tanto, el porcentaje de la falla de un condón no es de 11% sino de 35%. ¿Te tirarías de un avión en un paracaídas que solamente se abre un 35% de las veces que te tiras? ¿Relación sexual segura con condones? No lo creo. La respuesta está en el verdadero amor. Proteger y proveer. ¿Cómo Dios nos ama? Nos ha protegido y ha provisto, nos protege y provee y nos protegerá y continuará proveyendo. Nosotros hemos de hacer lo mismo los unos por los otros hasta donde esté a nuestro alcance. Recuerda, a Dios nadie le puede proveer ni proteger. Nuestro amor para con Dios está en otro nivel. Un amor con todo lo que somos que se manifiesta a través de la obediencia. (Toda la información respecto al VPH se tomó del Tour por América Latina de *Es bueno o malo,* con Josh McDowell, en 1998.)

La palabra libertad

En cierta ocasión, en la biblioteca de la universidad en la que enseño, encontré a un chico viendo pornografía en la Internet. Mi primera reacción fue preguntarle si sabía lo dañino que esto podía ser para él. El chico me miró con desprecio y sin dudarlo me dijo: «¿Quién es usted para decirme lo que debo hacer? Yo vivo en un país libre... puedo hacer lo que yo quiera, cuando quiera y como quiera.» ¿Suena esto a libertad? A mi entender esta es la definición del CAOS y el Desorden. ¿Puedes imaginarte el tráfico utilizando esta definición de libertad? ¿Puedes imaginarte jóvenes que crean que la libertad es hacer lo que ellos quieran, como quieran y cuando quieran? Créeme, muchos de ellos ya lo consideran así. Cualquier cosa que parezca frenarlos de su muy distorsionada definición de libertad, queda descartada de su vida. Otra palabra que describe esta definición es la palabra «libertinaje». Más que nunca los jóvenes necesitan saber qué es la verdadera libertad. Si utilizan esta definición del joven, serán esclavos del pecado y del error.

> *Jesús les respondió: De cierto, de cierto os digo, que todo aquel que hace pecado, esclavo es del pecado. Y el esclavo no queda en la casa para siempre; el hijo sí queda para siempre. Así que, si el Hijo os libertare, seréis verdaderamente libres.*

Juan 8:34-36

¿Cuál es esta verdadera libertad de la que Jesús está hablando? La libertad que Jesús da es la verdadera libertad. Pero, ¿qué es libertad? Libertad es: Saber lo que es correcto y tener el poder de hacerlo. ¿Cuántas personas saben lo que es correcto, pero no tienen el poder de hacerlo? El Espíritu de Dios trae verdadero poder porque nos da la sabiduría para saber lo que es correcto y además nos da el poder de hacerlo. Hoy más que nunca, los jóvenes deben saber que cuando Dios les da libertad, también les da límites. Cuando Dios dice «no» no es porque no quiere que nos divirtamos.

Dos de mis amigos, a quienes les gusta la velocidad tanto como a mí, compraron un carro especial para correr. Además de tener más caballos de fuerza de lo normal, el auto tenía el motor bien arreglado con doble turbo y nitrógeno. Un día nublado y frío los dos hermanos salieron a dar una vuelta en su auto nuevo. En un semáforo se detuvo, a la par de ellos, otro auto de carreras. Sin hacerse esperar el auto los retó a una carrera. Los dos motores de carrera rugían esperando la luz verde. En el camino había rótulos que decían «No Corra», «Curva Peligrosa», «Velocidad Máxima 45 Kilómetros». Mis dos amigos pensaron, «estas señales de tránsito no nos van a impedir que tengamos un poco de diversión. El semáforo cambió a verde y el auto retador salió antes que ellos. Antes de entrar a la curva y pasar al auto retador mis amigos leyeron una vez más las señales de tránsito que decían… «No Corra», «Curva Peligrosa», «Velocidad Máxima 45 Kilómetros». Pusieron el turbo y pasaron al auto retador,

DIOS NOS DIO LA LIBERTAD VERDADERA Y ESTA ES LA QUE NUESTROS JÓVENES DEBEN CONOCER.

pero desgraciadamente había llovido y el frío había creado un poco de hielo en el camino. El auto de mis amigos se salió del camino, dando varias vueltas en el aire, hasta terminar incrustado en un árbol. El menor de ellos, que iba de copiloto, murió en el lugar del accidente. El hermano mayor quedó paralizado del cuello para abajo. Pero día por día, cada vez que este amigo se despierta, cada vez que lo tienen que vestir, bañar y darle de comer recordará que las señales de tránsito que decían «No Corra», «Curva Peligrosa», «Velocidad Máxima 45 Kilómetros» no estaban allí para impedirles que se divirtieran. Esas señales estaban allí para protegerlos. La libertad que Dios nos da naturalmente requiere límites y reglas. Sin embargo, estos límites y reglas no son para evitar que disfrutemos de la vida, por el contrario tienen el propósito de protegernos. Dios nos dio la libertad verdadera y esta es la que nuestros jóvenes deben conocer.

La palabra verdad

En los últimos veinte años esta palabra ha cambiado de significado drásticamente. A tal punto ha llegado la nueva definición de verdad que muchos jóvenes creen que no existe la verdad absoluta. Como lo afirmó una chica de 16 años en un vídeo que hicimos entrevistando a los jóvenes para que nos dijeran una definición de verdad: «No existe una verdad concreta que todos podamos seguir porque somos distintos.» ¿Puedes creer esta mentira? La filosofía postmodernista hizo un excelente trabajo engañándonos con el relativismo. No solamente la moralidad es relativa dicen ellos, pero también la verdad. Hoy en día la verdad ya no se descubre. Años atrás los científicos entraron en sus laboratorios y descubrieron que el agua, por ejemplo, es una combinación de hidrógeno y oxígeno. Descubrieron algo cierto y se lo enseñaron al mundo. Pero hoy la verdad se crea no se descubre. Esto quiere decir que tú creas tu propia verdad y yo creo mi propia verdad, pero tu verdad no es mi verdad y mi verdad no es tu verdad y por lo tanto no hay verdad. En otras palabras, yo me paro en medio de un grupo juvenil a predicarles la verdad y ellos dicen entre sí «esa será tu verdad, pero no es la nuestra».

¿Cómo afecta esto a los jóvenes de hoy? En un estadio le preguntamos a unos 10,000 jóvenes cuántos de ellos creían que mentir era malo. Los 10,000 contestaron que mentir era malo, aunque muchos decían «depende». Luego les preguntamos: ¿Qué harían si se encontraran en una situación de la cual pudieran escapar diciendo una mentira?

Los 10,000 dijeron que mentirían. Así que, 10,000 creen que mentir es malo, pero esos mismos 10,000 mentirían si fuera conveniente para ellos. ¿Ves algún problema? El problema está en que hoy la verdad se ha convertido en una diferencia de opinión. Con razón en la actualidad no hay convicciones en muchos jóvenes porque todo se ha reducido a gusto y opinión. Te pongo un ejemplo. Contesta las siguientes preguntas:

¿Qué sabor de bebida te gusta más?

Fresa   Chocolate   Vanilla

Supongamos que sea la fresa.

¿Quién crees que ha sido el mejor jugador de baloncesto?

Michael Jordan   Larry Bird   Magic Johnson

Supongamos que sea Michael Jordan.

¿Cuáles de estas actividades son malas?

Comer   Dormir   Matar

En esta no tenemos que suponer, sabemos que matar es malo.

Permíteme explicarte la razón de estas preguntas tan sencillas. La primera pregunta tiene que ver con gusto. ¿Qué sabor te gusta? La segunda tiene que ver con opinión. ¿Quién crees que ha sido...? Estas dos preguntas entran en el ámbito de gusto y opinión. Pero la tercera pregunta no tiene nada que ver con gusto ni opinión. La tercera pregunta tiene que ver con bueno o malo. ¡Absoluto! Es una lástima que hayamos reducido la verdad al gusto y la opinión. La gente dice: «Si a ti te funciona ser homosexual, entonces está bien», «Si a ti te funciona tener relaciones sexuales con tu novia antes del matrimonio, entonces está bien». ¿Qué pasó con la moral y la inmoralidad? Hoy la inmoralidad ya no es inmoralidad sino un estilo alternativo de vida. Hoy lo bueno y lo malo ya no es bueno ni malo sino es lo que funcione para ti. La verdad es diferencias de opiniones. NO ES ASÍ.

Más que nunca los jóvenes de hoy deben saber qué es verdad y cómo aplicarla a sus vidas. ¿Qué es verdad? El diccionario define esta verdad como: «Fidelidad al original».

La primera vez que escuché esa definición yo tampoco la entendí. Estaba traduciendo a Josh McDowell al español y decía: «*Truth is fidelity to the original*», por unos segundos me quedé en la luna. «Verdad es la fidelidad al original.» ¿Qué quiere decir esto?

Supongamos que delante de nosotros tenemos a dos chicos que dicen tener el verdadero libro *El ministerio juvenil dinámico* (de Editorial Unilit) El primer chico te enseña un libro que en la cubierta dice *El ministerio juvenil dinámico*. Además, la cubierta tiene una foto de un chico. El segundo chico te trae otro libro que dice «El ministerio juvenil dinámico» en la cubierta, pero tiene una foto de tres chicos. ¿Quién tiene el libro *El ministerio juvenil dinámico verdadero?* Los dos chicos dicen tener el libro verdadero. ¿Quién tiene el verdadero libro? Tenemos que volar a Miami, buscar las oficinas de Editorial Unilit y allí buscar el libro original. El encargado de la edición nos muestra el libro original de *El Ministerio Juvenil Dinámico*. Ahora comparamos la fidelidad del libro del primer chico y vemos que el original tiene una foto con tres chicos en la portada. El primer chico no tiene un libro que sea fiel al original. Comparamos el libro del segundo chico y vemos que es fiel al original. Esto quiere decir que el segundo chico tiene el verdadero libro porque es fiel al original. ¿Cómo se aplica esto a nosotros? Permíteme ir un poco más allá y explicar algo más.

Seguramente en tu grupo juvenil tienes chicas a las cuales sus padres les dijeron que pueden tener novios a cierta edad. Tomemos dos de las chicas de tu grupo juvenil. A Susy los padres le dijeron que a los 18 años de edad podía tener novio. ¿Es esto verdad? Seguro. A María Andrea, sus padres le dijeron que puede tener novio a los 16 años de edad. ¿Es esto cierto en el caso de María Andrea? Seguro. ¿Pero la verdad de María Andrea es la verdad de Susy? No y ¿la verdad de Susy es la verdad de María Andrea? Tampoco. Entonces, ¿en qué quedamos?

Todo esto es para explicar que debe existir una verdad absoluta. La verdad absoluta tiene que tener tres características:

- **Universal.** Tiene que ser verdad para todos. Por ejemplo: Matar es malo para los latinos, como también para los europeos, australianos, etc… Esta es una verdad absoluta porque es universal; verdad para todos.

- **Objetiva.** Tiene que estar afuera de nosotros. Yo no puedo determinar lo absoluto. Como individuos podemos tratar de ser objetivos, pero la realidad nos dice que somos subjetivos. Por ejemplo: nadie debería poder decir que para ellos está bien mentir. El decir la verdad en un valor universal y objetivo que nosotros no determinamos

- **Constante.** Tiene que ser inmutable. Algo absoluto que tiene que permanecer así. No puede ser verdad hoy y mañana no. Ayer fue malo mentir, hoy es malo mentir y mañana será malo mentir. Esta es una verdad absoluta.

¿Existe alguna institución en tu país que tenga estas tres características? ¿Existe algún gobierno en este planeta que tenga estas tres características? ¿Existe algún ser que tenga esas tres características? Seguro. Dios es Universal, Objetivo y Constante.

> *Jesús le dijo: Yo soy el camino, y la verdad, y la vida;*
> *nadie viene al Padre, sino por mí.*

> Juan 14:6

Jesús mismo es fiel al original. Jesús es Dios. Dios es la verdad absoluta. ¿Cómo sé que la Palabra de Dios es verdadera? Porque es fiel al original. Dios es el original de la moralidad, de la honestidad, de lo puro, de lo santo, del amor, de la fidelidad. Si dedicamos nuestros ministerios juveniles al conocimiento de Dios en una relación personal con él a través de Jesucristo y su Espíritu Santo, impactaremos nuestras iglesias, ciudades y países. (Para obtener más referencias sobre este tema de la verdad tienes que leer el libro de Josh McDowell *Bueno o Malo*.)

La palabra tolerancia

Esta es otra definición muy peligrosa. En su libro *La nueva tolerancia* Josh McDowell explica las implicaciones y las ramificaciones de esta nueva definición. En este libro solamente te quiero dar la idea general del término *tolerancia*.

Hace diez años la palabra *tolerancia* simplemente quería decir: Aguantar y/o soportar sin necesariamente estar de acuerdo. Esto quiere decir que yo podía hablar con un mormón y escucharle sin estar de acuerdo ni aceptar sus ideas. También era posible hablar con alguna persona que estuviera luchando con sentimientos homosexuales y podía amar al pecador, pero odiar su pecado. Esto era tolerar… aguantar y/o soportar. Pero ahora cambió la definición de la palabra *tolerancia*. La nueva definición de *tolerancia* es: Todo valor, creencia o estilo de vida son iguales y yo no solo tengo la responsabilidad de aguantar y/o soportar, sino que también tengo la obligación de aceptar y exaltar cualquier valor, creencia o estilo de vida. Es decir, que si yo me paro en una iglesia el domingo y afirmo: «Jesucristo es el hijo de Dios», y al siguiente domingo afirmo: «El Chapulín Colorado es el hijo de Dios», de acuerdo con la nueva definición de *tolerancia*, estas dos afirmaciones son iguales.

Si hoy en día yo me atrevo a decir que Jesús es el Salvador del mundo y que no hay otro Salvador, yo seré visto como una persona fanática, loca e intolerante. La virtud número uno en la educación mundial es la nueva tolerancia. Esto significa que yo no puedo decirle a un homosexual que su vida es pecaminosa, porque de acuerdo con la nueva definición de tolerancia, su pecado no es pecado, sino un estilo alternativo de vida. Por supuesto, los cristianos no son los únicos que tienen el derecho de ser intolerantes, todos pueden ser intolerantes para con nosotros.

Si en el programa de Cretina, hiciéramos la siguiente demostración, encontrarías un increíble acertijo difícil de descifrar.

En cadena internacional, en un programa de televisión, traemos un vaso de orina y lo colocamos sobre una mesa. Además, traemos un pendiente con un crucifijo, símbolo del sacrificio de Cristo en la cruz del Calvario y también traemos un pendiente con un arco iris (símbolo que el movimiento homosexual mundial adoptó para caracterizar ese movimiento.) Si en este programa tú te atreves a sumergir el arco iris en el vaso de orina, serás visto como una persona intolerante… ¿cómo te atreves a insultar a los homosexuales de esa forma? En ese mismo programa sumerges el crucifijo en el vaso de orina y serás visto como una persona tolerante. ¿Entiendes?

Hace algún tiempo estuve impartiendo una conferencia en una universidad latinoamericana. Los 350 médicos que iban a graduarse de aquella facultad de medicina me escucharon decir que Jesús es el Salvador del mundo, que murió por nuestros pecados y resucitó al tercer día. Hace diez años los médicos me hubieran pedido probarles con evidencias científicas que Jesús había resucitado. Sin embargo, esta vez uno de los médicos se puso de pie y me dijo: «A usted, ¿quién le dio el derecho de decir eso?» En otras palabras ¿cómo se atreve a afirmar tales cosas con tal convicción. Hoy las convicciones son una mala palabra. Hoy lo absoluto se ha convertido en diferencias de opiniones, hoy la inmoralidad es un estilo alternativo de vida, y lo bueno o malo es lo que funcione bien para ti. ¿Cuáles son algunas de las implicaciones de esta realidad?

1. Tenemos que preparar a nuestros jóvenes con convicciones. Aseguurémonos de que nuestros ministerios juveniles estén enseñando la verdad de la Palabra de Dios con el fin de que los chicos conozcan al Dios de la Palabra.

2. Debemos prepararnos para que nos rechacen y nos llamen intolerantes y fanáticos. La Palabra dice que nos perseguirán. El mundo aborrecerá a todo aquel que ame a Dios.

3. Nos vamos a tener que convertir en expertos observadores, evaluadores y estudiosos de la cultura juvenil. No podemos dormirnos haciendo lo mismo que hemos hecho antes. Nuestros métodos y programas van a tener que evaluarse y reevaluarse para que sean eficientes al alcanzar y discipular a los jóvenes.

4. Vamos a tener que saber utilizar las plataformas que esta cultura postmodernista nos está dando a los cristianos. Por ejemplo, la plataforma de la experiencia personal. Esta cultura, más que nunca, está destacando la opinión y la experiencia personal. Esto quiere decir que los testimonios van a tener que usarse más en nuestras iglesias.

5. Vamos a tener que involucrarnos seriamente en ministerios juveniles relacionales. No basta con solo tener un buen grupo juvenil, con un buen programa y buenas actividades. Los chicos, como nunca antes, necesitan relaciones saludables y sinceras. Los chicos tienen que vernos como sus amigos y no solamente como sus líderes.

6. Vamos a tener que unir fuerzas con las familias. Todo ministerio juvenil efectivo será un ministerio juvenil que ayude a las familias de los jóvenes y no solo a los jóvenes.

7. Vamos a tener que ser cristianos mundiales. Nuestra visión va a tener que ser mucho más amplia que solamente nuestra iglesia (denominación.) Vamos a tener que involucrarnos en la Gran Comisión. Los jóvenes de nuestros grupos juveniles son los que se deben preparar para salir de misioneros a otras naciones.

8. Vamos a tener que ser líderes cristianos enseñables. Ningún ser humano lo sabe todo. Si vamos a ser eficientes en el día de hoy, vamos a tener que aprender constantemente. Seremos líderes que leemos, estudiamos y nos capacitamos constantemente.

9. Vamos a tener que multiplicar el liderazgo. Ningún ministerio juvenil eficiente se desarrolla fuertemente si depende de un solo líder. La iglesia necesita discipulado. El ministerio juvenil eficiente multiplica el liderazgo.

10. Vamos a tener que vivir una vida devocional modelo. Vidas de integridad, fidelidad y pureza.

Capítulo seis

PREGUNTAS Y RESPUESTAS

En la mayoría de los ministerios juveniles enfrentamos situaciones interesantes y retadoras. Durante mis primeros años de ministerio con los jóvenes siempre tuve interrogantes que hubiera querido preguntarles a otros líderes juveniles o personas con más experiencia. A continuación encontrarás algunas de esas preguntas y otras que me llegaron a través de conversaciones de líderes como tú.

Pregunta: En mi grupo juvenil tengo chicos que desean crecer, pero tengo otro grupo que es rebelde y no quiere saber nada de Dios. ¿Qué puedo hacer con ese grupo de rebeldes?

Respuesta: Nunca debo cansarme de orar por esa clase de chicos. Esta pregunta me recuerda la historia del joven rico que vino a Jesús.

> *Al salir él para seguir su camino, vino uno corriendo, e hincando la rodilla delante de él, le preguntó: Maestro bueno, ¿qué haré para heredar la vida eterna? Jesús le dijo: ¿Por qué me llamas bueno? Ninguno hay bueno, sino sólo uno, Dios. Los mandamientos sabes: No adulteres. No mates. No hurtes. No digas falso testimonio. No defraudes. Honra a tu padre y a tu madre. El entonces, respondiendo, le dijo: Maestro, todo esto lo he guardado desde mi juventud. Entonces Jesús, mirándole, le*

amó, y le dijo: Una cosa te falta: anda, vende todo lo que
tienes, y dalo a los pobres, y tendrás tesoro en el cielo; y ven,
sígueme, tomando tu cruz. Pero él, afligido por esta pa-
labra, se fue triste, porque tenía muchas posesiones.

Marcos 10:17-22

Jesús le dijo con claridad lo que se esperaba de él. El joven rico tomó su decisión y la Biblia no nos dice que Jesús salió corriendo tras él rogándole que lo siguiera: «Vamos, por favor, yo soy el camino, no seas malo, sígueme...» No. Jesús le explicó bien lo que se requería de él y como no lo aceptó, Jesús siguió su camino. En todo ministerio juvenil encontrarás jóvenes que desean crecer y otros que no desean crecer. Tu responsabilidad está con los que desean crecer y siguen tu liderazgo. Los demás seguirán siendo parte de tus oraciones, pero no harán que pierdas tiempo con ellos. Si hay un grupo de jóvenes, aunque sea reducido, que sí desea crecer y servir a Dios, concéntrate en ellos y ayúdalos. En la universidad tenía un maestro de ministerio juvenil que nos decía: «Cuida a las ovejas que ya tienes y no te preocupes por las ovejas que vendrán». En otras palabras, lo que él nos estaba comunicando es que esta estrategia de atender a los pocos que desean crecer y no preocuparse por los que no desean crecer, nos ahorrará muchos dolores de cabeza. Lo que sucede en nuestro ministerio juvenil es que los que no desean crecer pronto empiezan a sentir la influencia de los que sí desean crecer. Muchas veces es que nos enfocamos en los rebeldes o menos interesados y en el proceso perdemos a los que realmente desean crecer.

Pregunta: Los padres de mis jóvenes no quieren apoyar el ministerio juvenil, ¿qué puedo hacer al respecto?

Respuesta: Esta pregunta la contestamos anteriormente, cuando hablamos de construir relaciones con los padres. Ya mencionamos que si desarrollamos relaciones importantes con los padres de nuestros chicos, recibiremos mucho apoyo y ayuda.

Una de las mejores formas para desarrollar buenas relaciones con los padres de familia es servirlos. Un ministerio juvenil puede hacer muchas cosas para ayudar a los padres de familia y una de las cosas que hacemos periódicamente es una actividad de preparación para los padres. Invitamos a expertos en temas familiares y el ministerio juvenil organiza el programa. Los chicos sirven en todas las áreas. Los jóvenes participan en casi todo, desde las inscripciones hasta la comida y la limpieza. Los padres se benefician de la enseñanza y esto trae credibilidad para el ministerio juvenil. Además, construimos una biblioteca para los padres. En esta biblioteca no solo se encuentran libros, sino también vídeos, mensajes en casetes, música e ideas prácticas para ayudarlos en su tan difícil tarea de ser padres de adolescentes y jóvenes. No olvidemos que construir relaciones significativas con los padres de familia puede convertirse en una de las mejores inversiones en todo el ministerio juvenil.

Pregunta: ¿Dónde puedo prepararme y encontrar ideas prácticas para el ministerio juvenil?

Respuesta: Permíteme contestar esta pregunta haciendo una distinción. Hoy en día existen varias opciones de preparación para el ministerio juvenil. La diferencia es: La preparación formal y la preparación no formal. La preparación formal es la que se lleva a cabo en una forma tradicional. Por lo general, la persona interesada tiene que viajar e invertir varios años para prepararse. En mi caso, la preparación para el ministerio juvenil formal que recibí me llevó de mi país Guatemala a los Estados Unidos. No hay duda de que en los Estados Unidos existen muchas instituciones de estudio formal en inglés. Entre las instituciones más respetadas están: Biola University, Liberty University, Moody Bible Institute, Denver Theological Seminary, Columbia International University y otras universidades y seminarios bíblicos. En América Latina no hay instituciones reconocidas mundialmente para el estudio formal del ministerio juvenil. Pero esta falta de instituciones que brindan una preparación formal ha permitido que otros ministerios que no tienen una preparación tan formal puedan llenar una necesidad. Una preparación no formal no quiere decir que no sea profesional. Existen posibilidades de prepararse y a veces hasta más eficientemente que en un seminario. Uno de los ministerios más respetados para la preparación informal es *Liderazgo Juvenil* (www.liderazgojuvenil.com). *Liderazgo Juvenil* es un ministerio directamente comprometido con la preparación de líderes juveniles, jóvenes, sus padres y pastores. Además, *Liderazgo Juvenil* se unió con otros ministerios, para unidos poder ofrecer a los líderes materiales de calidad. La Internet también se ha convertido en una fuente importante de información para el ministerio juvenil. Varias casas editoriales están considerando la necesidad de publicar materiales pertinentes para el ministerio juvenil. Unilit tiene otro libro excelente titulado *El Ministerio Juvenil Dinámico*. En la actualidad casi todas las editoriales cristianas tienen algún libro para ayudarte a crecer en el ministerio juvenil. Dentro de las recomendaciones están los escritos de mi amigo Lucas Leys que Certeza publicó. Lucas también ayudó a publicar el libro El *Ministerio de Jóvenes con Propósito* de Editorial Vida. Editorial Acción y Casa Creación también tienen materiales escritos con buenas ideas. Visión Joven está al frente como una editorial con materiales para el ministerio juvenil. (www.visionjoven.com). Existen sitios en la Internet que también tienen buenos recursos: (www.lideresjuveniles.com, www.paralideres.com, www.atrevete.com) y otros. Además el ministerio Luis Palau en asociación con Liderazgo Juvenil tiene una excelente serie de videos titulados "Liderazgo Juvenil". (www.institutoluispalau.com)

Pregunta: Deseo trabajar con jóvenes y sé que Dios desea usarme en este ministerio, pero mis líderes (pastor/es) no me apoyan. ¿Cómo puedo hacer algunos cambios?

Respuesta: Esta no es una situación muy fácil, pero sí es común en muchas iglesias. Los jóvenes están deseosos de hacer cosas para nuestro Dios, pero los líderes de la iglesia no los quieren apoyar.

Es excelente que desees hacer cambios en tu iglesia. Los cambios son buenos, pero pueden ser peligrosos. Todo cambio necesita de personas que los lleven a cabo y los de tu iglesia definitivamente necesitan el apoyo de tus líderes. Para contestar esta pregunta sería necesario hacer otras preguntas. La primera es esta: ¿Qué has hecho para construir una buena relación con los líderes de tu iglesia? ¿Qué has hecho para venderles la visión a tus líderes y hacer que lleguen al punto de creer que realmente deben hacer este cambio? ¿Sabes que lo más importante no son los cambios sino las relaciones alrededor de los cambios? Seguramente los líderes apoyarán un cambio que vean nacer. ¿Cuándo fue la última vez que invitaste a uno de estos líderes a comer en tu casa o a tomar un café y así aprovechar la oportunidad para venderles la visión? ¿Cuándo fue la última vez que apoyaste algún cambio que ellos deseaban realizar (si es que han hecho algún cambio)? En otras palabras, tener buenas relaciones es lo que se sugiere antes de realizar un cambio. Ahora bien, si ya trataste de desarrollar buenas relaciones con tus líderes y aún parece imposible romper la pared de la frialdad o la indiferencia, entonces tengo otra sugerencia. Permíteme aclarar que esta sugerencia es muy personal y al mismo tiempo es una sugerencia fuerte. ¿A quién nos llama Dios a serle fiel? Únicamente a Él. Esto quiere decir que si en tu iglesia no te apoyan para hacer algo que tú sabes es la voluntad de Dios, tal vez tengas que considerar seriamente salir de esta iglesia y buscar un ministerio que crea y esté dispuesto a invertir en los jóvenes.

Pregunta: Llevo varios meses tratando de animar a los jóvenes de mi iglesia. Soy líder de jóvenes y parece que llegan a dormirse a la iglesia. ¿Cómo puedo animar a mis jóvenes?

Respuesta: Traer ánimo a un grupo juvenil es posible aunque muchas veces parece una misión imposible. El ánimo de un grupo juvenil puede despertar a una iglesia dormida y puede revolucionar toda una ciudad y por qué no, hasta el país. Una cosa debe estar clara. El ánimo que buscamos para nuestros jóvenes pocas veces se encuentra dentro de las cuatro paredes de la iglesia. Nuestros jóvenes necesitan ver el mundo como Jesús lo vio. Los jóvenes necesitan experiencias fuera de la iglesia que les permitan ver a Dios actuando a través de sus vidas. Intenta sacar a tus jóvenes a servir en algún hospital de niños de la ciudad o a un orfanato o asilo de ancianos. Exponlos a oportunidades planeadas en donde Dios los use para servir. Créeme que cuando un chico o una chica puede ver que Dios lo utiliza para impactar la vida de alguien más, su vida cambia y recibe un ánimo que contagia a todos. ¿Qué puedes hacer para animar a tus jóvenes? Sácalos de la iglesia y permíteles ver el mundo tal y como Jesús lo vio. Quizás no se animen todos al mismo tiempo, pero sin duda alguna un chico o una chica puede contagiar a todo un grupo juvenil. Creo que el ánimo que necesitamos ver en los jóvenes hoy no es el ánimo que un juego podría darles, sino el ánimo que viene como resultado de servir a Dios, permitiendo que Él use sus vidas para Su gloria y honra.

Pregunta: Me fatiga preparar todas las semanas los juegos, cantos, anuncios y el mensaje. ¿Qué ideas tienes para hacer esta tarea menos agotadora?

Respuesta: Esta situación suena al síndrome del "mil usos". Conozco muchos líderes que lo hacen todo. Conozco ministerios juveniles que se desarrollan alrededor del líder juvenil. Si este se va, se acaba el ministerio juvenil. El doctor John Maxwell dice: *La evidencia de un verdadero líder no se ve cuando el líder está en el lugar donde sirve, sino cuando el líder no está.* Si las cosas funcionan bien cuando tú no estás, esto es una evidencia de haber aprendido a delegar y preparar a otros para ejercer sus responsabilidades. No recuerdo dónde aprendí el proceso de delegar, pero me ha ayudado mucho. Es fácil combatir la fatiga si aprendemos a delegar responsabilidades en otras personas. La cuatro fases para delegar son:

Yo lo hago – tú observas.
Yo lo hago – tú lo haces.
Tú lo haces – yo observo.
Tú lo haces – yo hago otra cosa.

¿Será posible que como líderes somos buenos pidiéndole ayuda a la gente, pero no somos buenos para delegar? ¿Cuántas veces hemos pensado que los chicos no quieren ayudar cuando en realidad no les hemos enseñado a tomar responsabilidades delegando en ellos algunas tareas?

Pregunta: Una de las chicas de nuestro ministerio juvenil quedó embarazada y ahora los líderes quieren disciplinarla. ¿Cuál será el mejor proceso para disciplinarla?

Respuesta: ¿Por qué no generalizamos la respuesta y pensamos en cualquier situación en la que un chico o una chica haya cometido algún pecado y ahora tenemos que hacer algo al respecto?

Lo primero que debemos recordar es el propósito de la disciplina. La función de la disciplina nunca ha sido destruir o arruinar la vida de los chicos. ¿No es esto lo que regularmente sucede cuando se aplica la disciplina en la forma humana, sin gracia y sin misericordia? Cuando un chico o una chica cae en pecado, mi tarea principal es la reconciliación y la restauración. Sin duda, nuestro Dios se encarga de disciplinar a quienes el ama. Lo que quiero decir es que tal vez no exista una respuesta específica como un ABC para esta pregunta, pero sí existen algunos principios que son válidos y aplicables a la situación.

No quiero avergonzar a la persona delante de toda la iglesia. Si es necesario que el joven en pecado confiese su pecado delante de la iglesia, entonces será necesario que todo líder también confiese sus pecados secretos delante de la congregación. ¿Cuál es la diferencia entre el pecado de una chica que fornicó con su novio y el pecado de adulterio que los líderes de iglesia más de alguna vez han tenido en su mente? La única diferencia es que el pecado de la chica ya lo saben todos (es público), el pecado de los líderes es secreto. Si hay arrepentimiento genuino de parte de los culpables, mi responsabilidad es ayudarlos a restaurarse.

Quiero mostrar que la gracia de Dios es abundante para el pecador. Esto no quiere decir que vamos a apoyar el pecado. Ya Pablo habla de esto en Romanos 6. La idea es reconocer que si Dios mostró su gracia abundantemente para con nosotros, ¿por qué nosotros hemos de hacer lo contrario? Si Dios nos mostró su misericordia, ¿no debemos nosotros hacer lo mismo?

Todos nos hemos equivocado en la vida. La chica que cometió el pecado ya tiene suficientes consecuencias con las cuales luchar durante el resto de su vida. A mí no me corresponde agregarle más consecuencias. Lo que ahora debo hacer es darle la mano y ayudarla en el proceso de la recuperación.

Si ese pecado es común en su vida y la persona no está dispuesta a cambiar, entonces sí debo aplicar un proceso severo que ayude a comunicarles al resto de las personas involucradas que no debemos jugar con el pecado.

No olvidemos que uno de nuestros ministerios principales es el ministerio de la reconciliación.

Pregunta: Mis jóvenes escuchan toda clase de música. Mucha de esa música dice ser cristiana, aunque yo no le veo nada de cristiana, ¿qué puedo hacer para que los chicos dejen de escuchar esa clase de música?

Respuesta: El problema de esta situación es que no sé qué música están escuchando tus chicos ni tampoco sé si es realmente cristiana. El peligro con estas cosas es que yo podría suponer que algo no es cristiano solo porque a mí no me gusta. El hecho de que a mí no me gusta cierta clase de música no quiere decir que sea del diablo. Lo que quiero decirte es que cuando llegamos al punto de cosas como la música, es importante hacerse preguntas que vayan más allá de la opinión personal. Tal vez tenga que tomar una buena cantidad de tiempo para enterarme bien del tipo de música que están escuchando y averiguar verdaderas alternativas con mensaje cristiano. Hoy en día existe una gran cantidad de música cristiana que no solamente toca variedad de estilos musicales sino que además lleva un mensaje bíblico. Es cierto que hay mucha basura de música que dice ser cristiana y ni siquiera es música. En muchas ocasiones hay música, pero no es un mensaje bíblico. Sígueme por un momento en este razonamiento. ¿Quién estaba encargado de la música en el cielo? Satanás. El diablo cayó y con él cayeron también sus talentos y habilidades incluyendo el de la música. ¿Quién es el padre de las mentiras?

Satanás. ¿A quién va a tratar de engañar a los engañados o a los menos engañados? Sin duda tratará de engañar a los menos engañados. ¿En dónde se encuentran las personas menos engañadas, dentro o fuera de la iglesia? Se supone que las personas que escuchan la verdad dentro de la iglesia son las menos engañadas y se supone que las personas fuera de la influencia de la iglesia que enseña la verdad son las más engañadas. ¿En dónde tratará Satanás de engañar? ¿Utilizará la música? Por supuesto que para engañar Satanás está utilizando mucha música que se dice ser cristiana. Mi responsabilidad es darles la herramienta a mis chicos para saber cómo discernir entre lo verdadero y lo falso. No puedo forzarlos a no escuchar cierta clase de música solamente porque a mí no me guste. Tengo que equiparlos con las herramientas que los ayuden a tomar decisiones correctas.

Pregunta: Mis chicos bromean mucho entre ellos y me parece que hemos llegado a un punto extremo. Me parece que los chicos no son muy respetuosos y, además, utilizan nombres y apodos que no edifican. ¿Qué puedo hacer?

Respuesta: Existe un dicho que más o menos dice algo así: «Las piedras y los palos podrán herirme, pero las palabras jamás». Este tiene que ser uno de los dichos más ridículos que he escuchado. Por supuesto que las palabras pueden herir. En algunas ocasiones las palabras pueden herir más que las piedras y los palos. Me alegra escuchar que reconoces lo dañino que pueden ser la palabras y lo apodos en los ministerios juveniles. En nuestro ministerio juvenil no se utilizan los apodos. Se utilizaban, pero tuvimos que ser muy cuidadosos al animar a los chicos para que no usaran apodos no agradables entre ellos mismos. Entre los seres humanos es muy natural buscarles fallas y defectos a los demás. No es muy común enfocarse en las cualidades de los demás. En nuestro ministerio juvenil, durante un proyecto de servicio, llegamos a un punto en el cual tuve que mandar a un chico de regreso a su casa porque utilizó un nombre desagradable para referirse a una chica de nuestro grupo que tenía sobrepeso. Tenemos que ser muy constantes y en privado llamarles la atención a los chicos que utilizan apodos o frases no edificantes en nuestro ministerio juvenil. Definitivamente muchos de los apodos no son edificantes y muchas de las bromas no son agradables. Recuerda que no tenemos muchos años para ayudar a nuestros chicos a crecer. Ellos necesitan toda la ayuda que puedan recibir. Confrontamos a los chicos en privado y también implementamos el ministerio de la afirmación pública. Una de las actividades que practicábamos era la «silla caliente». Unas cuantas veces al mes sentamos a un chico o chica (cualquiera) de nuestro ministerio en una silla frente a todos los demás. La idea es afirmar a ese chico/a con las características de su persona y carácter que apreciamos en él o ella. Se les explica a los chicos que se tienen que referir a la persona en primera persona del singular. Ejemplo: «Andrea, yo aprecio TU forma de servir». El momento de afirmación se debe hacer sin que nadie esté hablando o haciendo efectos especiales o comentarios que no vengan al caso. Por ejemplo, si sentamos a Carlos en la silla caliente yo, como líder, podría empezar diciendo: «Carlos, aprecio mucho tu honestidad y disponibilidad para servir. Eres una persona muy servicial». Otro chico levanta la mano y dice: «Carlos, eres un buen amigo». Otro líder continúa: «Carlos, agradezco tu amor hacia Dios y Su obra». Créeme, la silla se pone caliente después de pasar un tiempo escuchando a tus amigos y líderes afirmándote. Esto comunica a los jóvenes que en nuestro ministerio juvenil nos enfocamos en sus cualidades como persona y como individuo.

UNAS ÚLTIMAS PALABRAS

Líder juvenil, mi corazón está junto a ti. No importa la edad que tengas o la iglesia a la cual sirvas. Mi deseo es que el contenido de este libro te pueda ayudar a ser un líder más eficiente en el ministerio juvenil. Los jóvenes no son el futuro. Los jóvenes son el hoy. Dios usó jóvenes, los está usando y los seguirá usando. Los jóvenes te necesitan y nosotros también. Nuestro ministerio se propone ayudarte a alcanzar a miles de jóvenes en todo el mundo. Permítenos servirte en lo que sea posible. Visítanos en *www.liderazgojuvenil.com*. Recuerda que te amamos. Recibe un abrazo de nuestra parte y continúa viviendo tu vida para Cristo.

BIBLIOGRAFÍA

Bertolini, Dewey. *Back to the Heart of Youthwork.* Victor Book, 1994

Borthwick, Paul. *Leading the Way.* Navpress, 1989

Burns, Jim. *El ministerio juvenil dinámico.* Unilit, 1996

Brown, Harold. *The Sensate Culture.* Word Publishing, 1996.

Dunn, Rick and Senter, Mark. *Reaching a Generation for Christ.* Moody Press, 1997.

Drusey, Gary. *The Youth Leader's Resource Handbook.* Zondervan. 1983

Fields, Doug. *El ministerio juvenil con propósito.* Vida, 1999.

Graham, Kevin. *Jesus for a New Generation.* Invervarsity Press, 1995.

McDowell, Josh. *La nueva tolerancia.* Unilit, 2000.

McDowell, Josh. *How to Be a Hero to Your Kids.* Word, 1991.

Sciacca Fran. *Generation at Risk.* World Wide Publications, 1990.